MIEDO EN LOS OJOS

RAÚL GARBANTES

Página web del autor:
www.raulgarbantes.com

amazon.com/author/raulgarbantes
goodreads.com/raulgarbantes
instagram.com/raulgarbantes
facebook.com/autorraulgarbantes

Obtén una copia digital GRATIS de *La maldición de los Montreal* y mantente informado sobre futuras publicaciones de Raúl Garbantes. Suscríbete en este enlace: https://raulgarbantes.com/lamaldicion

ÍNDICE

PARTE I

1

El cordero intenta escapar.

Corre.

Pero está asustado. Y es pequeño: no tiene oportunidad frente al león que lo persigue. Una bestia enorme, feroz y hambrienta.

Ella lo ve todo desde la distancia. Como a través de un cristal sucio. Y en cámara lenta.

Tiene que ayudar al cordero. Salvarlo.

No puede escuchar los balidos del animal, pero casi puede tocar el terror de la presa: percibe cómo baja y sube en el aire y lo siente cuando se le adhiere en la piel.

Escucha la respiración agitada del león, que todavía no corre. Que despacio, cauteloso; acecha y observa. Pero que todavía no ataca.

El cordero corre, pero el león espera.

Entonces, en el momento preciso, el león se dispone a matar.

Ella intenta correr, apurarse para salvar al cordero. Pero sus piernas se hacen de goma. Se derriten.

Y no llega.

A través del cristal sucio ella ve cómo el león, finalmente, acorrala a su presa y sin esfuerzo, apenas con una garra, la hace trizas.

El cordero, ahora, es una mancha roja. Un amasijo de pelos, sangre, tripas y terror.

Ella escucha cómo la respiración del león se tranquiliza. Lo ve echado sobre el cordero. Con su lengua lo lava. Lo acicala.

El hedor es insoportable, nauseabundo.

Quiere gritar, pero no puede. Hasta que, por fin, lo logra.

ALEXIS CARTER se despertó en medio de un grito, con el cuerpo pegajoso y cubierto por un sudor frío.

Era noche cerrada en Topeka, Kansas.

Y faltaba mucho para el amanecer.

El sueño había sido perturbador. Y muy vívido.

Álex, confusa y agitada, supo, sin duda alguna, que algo oscuro se avecinaba.

Aquello había sido mucho más que un mal sueño. Mucho, mucho más.

Con sus dones, ella siempre lo sabía.

La primera vez que tuvo uno de aquellos sueños, ella tenía cinco años. Bueno, tal vez tuvo otros sueños de ese tipo antes. Pero el primero que recordaba ocurrió cuando tenía cinco años.

Había soñado con un perro. Un perro grande, negro y rabioso que vivía en su casa, que mostraba los dientes y mordía.

Un perro que asesinaba.

Cuando despertó aquella vez se había sentido igual que ahora. Sudorosa, asustada, intranquila.

Poco tiempo después de esa pesadilla terrible, más que aterradora para una niña tan pequeña, su padre enloqueció y, a puñaladas, mató a su madre.

¿Cómo no iba a saber que algo oscuro estaba por llegar? Si había convivido con la oscuridad desde que tenía memoria.

2

El pequeño Michael Long tembló en la oscuridad.

Tenía frío y miedo.

Y sentía dolor. Mucho dolor.

Había estado inmóvil por varias horas y los tobillos le sangraban a causa de las cadenas que lo sujetaban a la pared.

Michael gritaba. Llamaba a su madre. Pedía auxilio. Pero nadie lo escuchaba. Nadie podía escucharlo en aquel paraje de las afueras de Topeka.

No sabía muy bien dónde se encontraba, pero sí sabía que era en algún sitio alejado. En un granero, un almacén o un sitio similar.

Cada tanto podía escuchar el mugido de alguna vaca o el chillido de un animal. Y eso, si era posible, aumentaba su terror.

Una puerta se abrió y, por el sonido, el niño supo que era de metal. Pesada.

La abertura de la puerta dejó entrar una luz mortecina, pero a Michael, que había estado a oscuras mucho tiempo, la escasa luz que se colaba por la abertura lo eneguició.

Con una manito sucia de tierra se restregó los ojos. La suciedad que tenía en los dedos se mezcló con sus lágrimas, dejándole en la cara manchas sobre las mejillas. Pensó que si su mamá lo veía tan sucio se enfadaría bastante. Trataría de lavarse cuando lograra salir de allí.

Entonces vio la silueta de un hombre que atravesaba la puerta.

Como la luz llegaba desde atrás, Michael no pudo verle la cara, pero sí su ropa. Llevaba un overol grueso, parecido al que usaban su papá o el señor Harrison cuando trabajaban en su casa.

Pero ese hombre no era el señor Harrison.

Tampoco era su padre.

Mientras el sujeto se acercaba más y más, el pequeño Mickey comenzó a llorar.

Y pidió a Dios que su mamá lo encontrara pronto.

3

—MALDITA PESADILLA DEL DEMONIO —dijo Alexis Carter mientras buscaba en su bolso las llaves del consultorio.

Por culpa del sueño que no había sido tal, y que la mantuvo despierta la mitad de la noche, iba retrasada.

Justo antes del amanecer se había quedado dormida y, por eso, no oyó sonar la alarma de su despertador.

Tuvo que salir a toda prisa para llegar y atender a tiempo a su primer paciente del día sin haber tomado, siquiera, una gota de café.

El día empezaba de forma terrible. En el momento en que Álex puso la llave en la cerradura del consultorio vio que la señora Madox doblaba la esquina, luciendo su habitual cara de hastío.

Ella aspiró y abrió la puerta.

El día seguía empeorando.

La señora Madox, recostada en el diván, parloteaba sin cesar sobre sus desgracias domésticas: un marido que la ignoraba, unos hijos que la ignoraban, una mucama que la ignoraba. En fin: un mundo que la ignoraba.

Álex la escuchaba a medias. A fin de cuentas, la señora Madox siempre contaba la misma historia.

Hacía tiempo que ella le había diagnosticado una depresión leve. Nada de cuidado.

Pero, a pesar de tener su diagnóstico y varias sesiones de terapia encima, la señora Madox continuaba siendo la misma persona que Álex trató la primera vez: un ama de casa de mediana edad que pasaba los días tratando de encontrarle sentido a la vida, las noches culpando a todos de sus desgracias insignificantes, y sus horas libres con una terapia que no necesitaba.

—John está fuera por negocios —dijo la señora Madox—. Otra vez. Este es el tercer viaje que hace en el mes.

—¿Y usted qué ha hecho mientras su esposo está fuera?

—No mucho. Dormí, fui de compras, almorcé con mi hermana en casa, volví a ir de compras, jugué tenis. En fin… lo mismo de siempre.

—Señora Madox —dijo Álex y miró su reloj—: ya hemos hablado de esto una y otra vez. Si usted no hace nada para cambiar su vida, si usted no prueba cosas nuevas, si no es un poco más… aventurera, no hay nada más que podamos hacer aquí.

—Lo sé —le respondió la señora Madox y se sentó en el diván—. Es que no encuentro por dónde empezar.

—¿Qué le gustaría hacer? —preguntó Álex.

—No… no lo sé.

—Bien, empezaremos por ahí. —Álex cerró su libreta—. Conéctese con sus deseos. Con su libido. Piense en qué quiere de la vida, qué le gustaría ser o hacer. Piense en algo que la haga feliz, que le dé sentido a sus días. ¿Qué le parece?

La señora Madox asintió.

—Continuaremos con esto la próxima semana.

La señora Madox tomó su cartera, estrechó la mano de Álex, que la acompañó hasta la puerta, y se fue.

Cuando estuvo sola, se acercó a la ventana y miró hacia la calle. Vio a la señora Madox salir del edificio y la siguió observando hasta que la perdió de vista.

Ella también debía conectarse con su libido. Con su pulsión de vida.

A sus treinta y cinco años, Álex estaba harta de su profesión. Amas de casa aburridas, adolescentes rebeldes, hombres inmaduros.

Ese era el universo de pacientes que visitaban su consultorio.

Ninguno de ellos le presentaba un desafío. Ninguno de ellos encendía una chispa de emoción, de intriga, de curiosidad.

Aunque ellos no lo supieran, aunque nadie lo supiera, Álex podía sentir todo lo que ellos sentían.

Por eso, justamente, se había convertido en terapeuta.

Álex era un ser empático. Y la oscuridad con la que había convivido desde siempre era, nada más y nada menos, que una consecuencia de la extraordinaria capacidad que poseía para comprender las emociones de los demás e identificarse con ellas.

Precisamente, a causa de esa habilidad es que decidió estudiar psicología. Porque como terapeuta podía decirles cómo se sentían sin que nadie la tratara a ella de demente.

Pero en su consultorio, lo único que percibía en los últimos tiempos eran emociones anestesiadas. Ninguno de sus pacientes parecía estar vivo. Sufrían, se emocionaban, reían y lloraban en la medida justa. Hasta donde las neurosis normales lo permitían. Ni un milímetro más allá.

Estaban contenidos. Y eso, a ella, la enfermaba.

La mayoría de esas personas no necesitaban un terapeuta. Precisaban un amigo que las escuchara, que estuviera allí para contenerlos.

Su consultorio la estaba aniquilando.

«¡Si hasta la pesadilla que tuve la noche anterior me hizo sentir más viva que mi trabajo!», pensó. Y ese era un pensamiento horrible.

—Si no quiero convertirme en la señora Madox —se dijo —, mejor que empiece a seguir mis propios consejos. Debo buscar una línea de trabajo más emocionante o me moriré de aburrimiento y frustración.

4

—¡Por fin! —dijo Álex cuando la mesera le sirvió un capuchino humeante y que olía a canela. Lo tomó entre sus dos manos y dio un largo sorbo manteniendo los ojos cerrados.

—¿Estás teniendo un orgasmo o tomando un maldito café, Álex? —preguntó Mary, que en ese momento había llegado a la cafetería y se acomodaba en la barra junto a su amiga.

—No lo sé —respondió Álex y sonrió—. Hace tanto que no tengo uno que ya no me acuerdo cómo se sienten. Mi abuela solía decir que… Olvídalo, estoy divagando.

—Para variar.

—Para variar —respondió Álex.

Ambas rieron y Mary hizo una seña a la camarera para que le trajera café.

—No tienes buena cara —dijo Mary después de apagar el móvil y guardarlo en su cartera—. ¿Qué rayos te sucede?

—Estoy harta —dijo Álex y tomó otro sorbo de capuchino—. Si vuelvo a escuchar los dramas de un ama de casa aburrida creo que voy a enloquecer.

—Tú curas locos, cariño, no tienes permitido enloquecer.

—Pues eso deberías explicárselo a mi inconsciente, anoche tuve un sueño digno del diván. Te lo digo yo.

La mesera se acercó y dejó sobre la barra un café para Mary.

—Tengo casi treinta y cinco años —siguió diciendo Álex—. Quiero otra cosa para mí. Estoy día tras día vegetando en ese consultorio. Y lo único que hago es tomar café, pensar en lo mal que me va en la vida y no tomar ninguna decisión.

—Tampoco es que te vaya tan mal, vamos. Pero ¿qué es lo que quieres?

—¿Una relación en la que no me rompan el corazón es mucho pedir?

Su amiga sonrió.

—Eso se lo pides al ratón de los dientes. O a Santa. —Mary bebió un sorbo de café y puso un gesto de desagrado. Sabía a agua sucia—. Milagros no hago.

—¿Un trabajo que le dé propósito a mi vida? Un hombre alto y atractivo también podría servir, incluso si me rompiera el corazón. Pero preferiría un trabajo emocionante, la verdad.

—¡Vaya, cariño! —Mary soltó una carcajada— ¿No quieres ganarte la lotería?

Álex sonrió con cierta amargura y, en silencio, terminó de beber su café.

Lo que ella de verdad quería era enfrentar la oscuridad que la acechaba. Plantarle cara, gritarle fuerte y sacarla de su vida. Pero eso no era posible. Porque la oscuridad era parte de ella. Lo había sido desde que la percibió en su padre antes de que matara a su mamá.

Lo había sido al crecer siendo criada por su abuela.

Lo había sido cuando la mujer murió y ella tuvo que

abrirse camino sola gracias a su voluntad y a una herencia generosa que su abuela le dejó al morir.

Su vida no había sido fácil. Pero tampoco tan difícil. Tuvo un mal comienzo que la marcó, sí, pero adquirió una capacidad especial para conectarse con sus propias emociones y con las de los demás. Ella sabía que había mucha gente que la pasaba peor. Y esa era la gente que le interesaba realmente. No por un desorden morboso ni nada por el estilo. No.

Era porque creía que a ellos, realmente, podía ayudarlos.

Y, justamente, por eso es por lo que cuando pacientes como la señora Madox hacían un drama de una tontería, Álex solo quería gritarles. Decirles que la vida era dura. Que había personas con problemas reales viviendo en un mundo real.

Pero eso no sería profesional. Así que se limitaba a escuchar y brindar tratamientos caros y largos para resolver problemas que no tenían.

—Aunque ahora que lo pienso... —dijo Mary.

—¿Qué? —preguntó Álex con curiosidad.

—Creo que puedo ayudarte con lo del trabajo que dé sentido a tu vida. El hombre atractivo te lo debo, eso sí.

Álex la miró intrigada.

—Esa maldita empatía que tienes podría ayudarte si trabajas como psicóloga forense o algo parecido. ¿No te gustaría entrar al sistema legal?

—¿A qué te refieres?

—Ayudar a la policía a investigar homicidios, perfilar criminales... Ese tipo de cosas.

—¿Y cómo podrías ayudarme tú a entrar al sistema legal, Mary?

A Álex le entusiasmó lo que le proponía su amiga. Tal vez conociendo la oscuridad podría enfrentarse a ella desde otro lugar. Tal vez, finalmente, podría marcar una diferencia.

—Yo no, pero mi padre sí. Estuvo en el cuerpo de Policía cincuenta años. Seguro tiene contactos.

—No es mala idea, ¿sabes? —dijo Álex y dejó unos billetes sobre la barra—. Pensaré en ello y te avisaré. No. No es mala idea. Para nada.

5

ENCERRADO en un tractor que a medida que pasaban las horas se iba convirtiendo en un horno, Jack Johnson había pasado toda la mañana arando en las tierras de su granja, en las afueras de Topeka.

Cerca del mediodía detuvo la máquina en un lugar sombreado, cerca de un montículo de árboles y, de su termo, sacó un poco de agua con la que se refrescó el cuello y el rostro.

Luego tomó un trago y se dispuso a descansar.

Le agradaba tomarse un rato para él cada mañana, y siempre lo hacía en el mismo lugar. Aquel era un punto tranquilo de sus tierras. Alejado de los caminos y de los curiosos. Un sitio perfecto para dormir sin que nadie lo molestara.

Entonces sintió un olor nauseabundo, fétido. Jack conocía bien aquel olor: era el hedor de la muerte.

Seguramente un animal había muerto por ahí.

Decidió investigar y darle sepultura a lo que se estuviese pudriendo en sus tierras, o pronto todo se llenaría de moscas y alimañas.

Tomó una pala y su rifle —sin el que nunca salía, porque Jack siempre estaba listo para cazar una buena pieza—, por si algún carroñero ya se estuviese dando un festín, y se internó en la hierba alta.

Caminó unos metros, no muchos. Y entonces lo vio.

Retorcido en una posición imposible, si no fuera porque estaba atado y escondido entre la hierba, yacía un niño.

Jack olvidó el calor, el cansancio y el trabajo.

Solo le quedó el espanto.

Bueno, el espanto y unas incontenibles ganas de vomitar.

Se puso la mano sobre la boca y corrió de vuelta a su tractor, dejando atrás la pala y el rifle.

Trepó a la cabina y, desde la radio, pidió ayuda. Se volvió a mojar la cara con la poca agua que quedaba en el termo y se sentó: las piernas no lo sostenían.

Respiró hondo y elevó un insulto a un Dios en el que ya hacía mucho no quería creer. Porque si el Dios en que creía permitía cosas como aquella, Jack Johnson no quería tener nada que ver con él.

6

DESDE EL ASIENTO del conductor de su camioneta, el detective Devin Walsh observó el movimiento que había en la granja. Estaba habituado al desfile de policías, analistas forenses, reporteros, paramédicos y curiosos alrededor de las escenas de los crímenes: al fin de cuentas, había crecido en Nueva York y trabajado allí algunos años.

Pero no lograba acostumbrarse a que sucedieran en Topeka. Un sitio tranquilo en el corazón del país, alejado de la locura de la gran ciudad y de su violencia.

Antes de salir del coche se miró en el espejo retrovisor: debía mantener la imagen de detective frío y analítico. No podía dejar que esto lo afectara, porque, si no, hacer su trabajo sería imposible.

Y si él no hacía bien su trabajo, esa bestia que mataba niños atacaría otra vez.

No. Eso no pasaría. El detective Devin Walsh no iba a permitirlo.

Aspiró hondo y pensó en el póquer, su juego preferido. Cara de póquer, se dijo. Que nadie note cuánto te afecta.

Se bajó del auto y se mezcló con la gente.

∽

No le costó mucho encontrar el lugar donde yacía el cuerpo. Un remolino de personas enfundadas en trajes blancos le indicó el punto al que debía dirigirse.

—¿Se ha dignado a acompañarnos, detective Walsh? — Jessica Ortiz, una analista forense que a menudo trabajaba con Devin, se puso de pie y se acercó a él.

— ¿Qué tenemos? —preguntó sin saludar—. Otro niño, ¿verdad?

—Otro niño. —Jessica se mordió el labio inferior para no maldecir y para no llorar. Aquel asunto la conmovía, pero no podía demostrar ningún sentimiento. No sería profesional y no ayudaría a nadie—. Michael Long, sus padres lo reportaron perdido hace una semana. Por el estado de descomposición, creemos que lo asesinaron el mismo día en el que desapareció.

Jessica le hizo señas a los demás para que dejaran espacio a Devin, y un hombre que sacaba fotos aprovechó para buscar un mejor ángulo.

El detective se acercó y se puso en cuclillas junto al cadáver.

Jessica lo imitó.

—Mira —le dijo y, con una mano enguantada, señaló el cuello del niño—. Fue una laceración limpia, lo degollaron y murió en el acto. Como los demás.

—Pero no murió aquí.

—No, no hay ni una gota de sangre en ninguna parte. Y te aseguro que sangró, Devin. Mucho.

Walsh aspiró y siguió observando el cuerpo.

—¿Qué me dices del motivo? ¿Sexual? —preguntó el detective.

—No lo sabré hasta que hagamos la autopsia, pero no lo creo. —Jessica sacó un bote de alcohol en gel de su maletín y se limpió las manos con los guantes puestos—. Me inclino por el religioso.

Devin no dijo nada, pero hizo un gesto para que Jessica continuara con la explicación.

—Mira la posición —le dijo al detective y señaló el cuerpo: las manos atadas por las muñecas y extendidas sobre la cabeza, que miraba hacia arriba. Las piernas estiradas y atadas juntas por los tobillos.

—Mira al cielo —dijo Devin y se puso de pie para dar la vuelta y mirar mejor el rostro del niño.

—No mira nada. —Jessica también se levantó y se quedó junto a Devin.

Devin era un sujeto alto, musculoso. Al lado de Jessica, que no era bajita, parecía un gigante. Pero ahora no. Su cara seguía siendo de póquer, pero al lado del cadáver del niño, su cuerpo, encogido, mostraba cuánto le afectaban esos crímenes.

Walsh se acercó para ver mejor el rostro del niño. Y vio que en el lugar donde deberían haber estado los ojos, solo había dos cuencas vacías.

Era el tercer caso. El maldito tercer caso. Y si bien Walsh suponía que el cuerpo no tendría ojos, no esperó encontrar sangre coagulada en su lugar.

En los casos anteriores, las cuencas habían sido lavadas y estaban limpias. Pero en el caso de Michael Long no fue así. ¿Por qué el descuido? ¿El asesino habría estado apurado? ¿Realmente fue un descuido? Eran demasiadas preguntas. Y lo peor es que Devin no estaba seguro de que las respuestas importaran.

La carita del niño lo golpeó como pocas cosas lo habían golpeado hasta aquel momento.

—Como puedes ver, a él también le han quitado los ojos. Pero esta vez no han sido tan meticulosos con la… limpieza — dijo Jessica—. A lo mejor esta vez tengamos suerte y encontremos algo.

—Voy a atrapar a este hijo de perra, Jessica. Como que me llamo Devin Walsh, lo haré.

Jessica asintió y palmeó el hombro del detective.

Luego se agachó junto al cuerpo y siguió trabajando.

7

En Nueva York, Devin había cubierto su cuota de crímenes violentos y por eso decidió largarse a un lugar más tranquilo. Creció en un barrio marginal, pero en un hogar bien constituido y bajo la estricta y atenta mirada de su madre. Así que, cuando creció, en lugar de perderse en pandillas o en estupideces, Devin se unió al cuerpo de Policía esperando forjarse un futuro, en lugar de meterse en problemas.

Trabajó como uniformado algún tiempo, pero quiso más. Y logró convertirse, al final, en el detective más joven de su generación.

Había comenzado en la División de Narcóticos, pero no le gustó esa experiencia. A veces el trabajo exigía mezclarse con los narcos, consumir sustancias... Y conoció muchos compañeros que perdieron su carrera, y sus vidas, por no poder desengancharse después.

Así que apenas vio la oportunidad de dejar la División de Narcóticos la tomó y se convirtió en detective de Homicidios.

Pero en la ciudad de Nueva York no había sido fácil trabajar resolviendo homicidios. Para nada.

Devin tuvo que lidiar con toda clase de criminales: esporádicos, pasionales, desalmados, estúpidos, perversos, psicópatas... Y siempre, para bien o para mal, había conseguido buenos resultados sin involucrarse emocionalmente.

Hasta que llegó el caso Spencer.

Una noche de verano, un 4 de julio, lo llamaron para que se presentara a la escena de un crimen en Times Square.

Él pensó que se trataría de algo corriente, de un crimen pasional o de uno al azar. Algo sencillo, sin mayores complicaciones. Uno como tantos.

Pero se equivocó.

Al llegar a Times Square, Devin Walsh se encontró con el crimen más violento, sanguinario y desalmado de su carrera.

Adentro de un bolso había tres niños, tres hermanos decapitados y desmembrados.

Lo peor es que nunca pudo resolver el caso Spencer. Y su imposibilidad lo había quebrado.

La investigación consumió todas las horas de su vida. Lo obsesionó a tal punto que lo llevó a violentar algunos principios legales en el afán de obtener información.

Poco a poco se fue convirtiendo en un sujeto agresivo, intransigente y desagradable.

El caso le costó su matrimonio, su puesto en Nueva York, y al final casi le arrebató la cordura.

Cuando una tarde, en un interrogatorio, estuvo a nada de romperle el brazo a un sospechoso para forzarlo a hablar supo que la cosa había llegado demasiado lejos.

Tanto que tuvo que largarse.

Por eso eligió Kansas. Porque allí esas cosas no pasaban.

Allí los homicidios se limitaban a crímenes pasionales, a peleas de bar, a tonterías —si es que un crimen podía considerarse una tontería, claro—. Pero no asesinaban niños.

Hasta ahora.

Con este caso, Devin aprendió que los crímenes violentos ocurrían en todas partes. Pero en una ciudad grande, uno no conocía a las víctimas ni a sus familias.

En cambio, en Topeka todos se conocían. Y eso hacía que las cosas fueran peores. Mucho más duras.

Por eso, ahora y después de todo lo que ocurrió, añoraba volver a trabajar en una ciudad grande.

Kansas había estado bien por un tiempo. Pero ya no.

Ahora, otra vez, se encontraba investigando un crimen espantoso. Y habría muchas lágrimas, muchas escenas desgarradoras. Mucho dolor. Y con razón, sin duda.

¡Eran niños, maldición!

Otra vez eran niños.

8

—¡Señores, por favor! —El jefe de Policía, Todd Bennet, se quitó la gorra y la dejó sobre el atril. Así su cara se veía con claridad y él daría la imagen de pulcritud y serenidad que buscaba reflejar.

Intentaba calmar a los reporteros, pero la conferencia de prensa se había salido de control: era previsible, teniendo en cuenta que todas las víctimas eran niños.

—He dicho que no contestaré preguntas —dijo muy serio y con el gesto perfecto que la situación ameritaba—. Solo daré un comunicado y eso será todo por hoy. ¿Entendido?

Un rugido de voces y gritos demostró que no, que no estaba entendido.

A la distancia, Devin observaba a su jefe.

Bennet los tenía bien puestos, debía reconocerle eso. No cualquiera hubiera montado una conferencia de prensa en la misma granja en donde había aparecido el cadáver del pequeño Michael Long, apenas una hora después de que el cuerpo hubiera sido retirado.

Pero también, citar a toda esa gente tan cerca de la escena del crimen, era una enorme irresponsabilidad.

Alguno podía acercarse a la zona precintada y alterar la evidencia. O enterarse de algo que la policía prefería mantener en secreto y divulgarlo, perjudicando así la investigación.

Pero Bennet decía que el riesgo de una filtración era mínimo comparado con el beneficio de tener a la prensa de su parte, y que era muy importante que los periodistas confiaran en ellos. Que sintieran que el cuerpo de Policía de Topeka no tenía nada que ocultar. Porque en el instante en que perdieran el favor de la prensa estarían perdidos. Y la presión se tornaría insoportable.

Eran patrañas, por supuesto. La Policía de Topeka, en relación con el Homicida de Niños, como lo habían bautizado los reporteros locales, ocultaba casi todo.

Pero los medios no lo sabían. Y con las migajas de información que el jefe Bennet iba dejando, bastaba por ahora para mantenerlos entretenidos y despistados.

Con esos pocos datos los canales podrían llenar horas y horas de televisión basura y vender muchos espacios publicitarios. A los canales les servía y al cuerpo de Policía también.

Walsh no tenía nada que objetar al respecto. Él no podía distraerse con bobadas. Su trabajo no era mantener contenta a la opinión pública: él debía ceñirse a los hechos si quería atrapar al bastardo que le hacía aquello a los niños.

Y lo haría a como diera lugar.

Esta vez lo lograría.

~

—El día de hoy —comenzó el jefe— hemos encontrado el cuerpo de otro niño y…

—¿El Homicida de Niños ha atacado otra vez? —preguntó un reportero.

—Dije que no respondería preguntas.

—¿Pero se trata de él o no? —insistió el reportero—. La sociedad tiene derecho a saber si sus niños se encuentran en peligro, Bennet.

—No sabemos si es el mismo asesino. —Bennet, como buen aspirante a político, no podía permitirse negarse a responder aquella pregunta—. Es un niño, sí. El tercero. Pero no podemos aventurar que se trate de un asesino serial. No todavía, al menos. Necesitamos cotejar algunos datos para estar seguros. No queremos alterar a la población con información inconsistente.

El jefe, aunque no lo demostraba, estaba nervioso. Porque él no tenía dudas. Un caso podía ser fortuito. Dos, una casualidad. Pero tres constituían un patrón. ¿Qué posibilidades había, en una comunidad tranquila como aquella, de que tres niños murieran asesinados, les quitaran los ojos y no fuera obra de un asesino serial?

Ninguna, claro.

Este era un caso importante. De resolverlo, sus posibilidades de convertirse en alcalde se incrementarían.

Pero si no, si fracasaba, sus sueños se habrían esfumado y el esfuerzo de toda su vida hubiese sido en vano.

Dijera lo que dijera a la prensa, Todd Bennet sabía que estaban enfrentando a un asesino serial. Y, más allá de sus sueños de convertirse en alcalde, había otra cosa.

Estos crímenes quebrarían a la comunidad. Un asesino en serie siempre era una cosa terrible. Pero uno de niños era una bomba atómica. Y si no lo atrapaban, arrasaría con todo.

—¿Tienen alguna pista, jefe Bennet? —preguntó otra reportera.

—¿Qué parte de «no responderé preguntas» no se ha comprendido?

Y el rugido de voces y preguntas empezó otra vez.

Devin se restregó la frente y se fue. El jefe podía encargarse de la prensa. Él ya no tenía nada que hacer allí.

9

—Comerán, dormirán y vivirán aquí si es necesario. —El jefe Bennet, reunido en la estación de Policía con el equipo de detectives y analistas forenses, presionaba a su gente—. Pero tenemos que atrapar al hijo de puta que está asesinando niños. Y tenemos que hacerlo antes de que se cobre otra víctima.

Ya sin la compostura que había mostrado ante la prensa se veía como lo que era: un hombre blanco de cincuenta y seis años al que empezaban a notársele la panza y los años.

—Jefe —dijo Jessica Ortiz—, hemos procesado toda la escena. No hay nada. No dejó ni un indicio. ¡El sujeto es un maldito cirujano!

—Tiene que haber algo —dijo la mujer que estaba sentada al frente—. Siempre lo hay, ¿o no?

Devin no conocía a esa mujer. Rubia, delgada, atractiva. La recordaría si la hubiera visto antes. Y no la recordaba. Para nada.

—Eso nos lo dirá usted, señorita Carter —respondió el jefe y, con un gesto, la invitó a que se parara junto a él—. Para eso la hemos contratado. ¿No es así?

Álex sonrió y miró al grupo que se reunía a su alrededor. Todos la observaban con cierta curiosidad. Pero el que llamó su atención fue el detective alto que la miraba desde el fondo del salón. Era moreno y, por su pose arrogante y algo desconfiada, se notaba que no era de Kansas.

Los Ángeles o Nueva York, pensó Álex. Chicago, tal vez. Inteligente, profesional. Un buen elemento del cuerpo. No le molestaría trabajar con él siempre y cuando no se hiciera el rudo con ella. Y también era atractivo, por qué negarlo.

—Les presento a Alexis Carter —dijo el jefe Bennet—. La señorita Carter es psicóloga y terapeuta. Y, desde hoy, nuestra perfiladora criminal. Necesitamos toda la ayuda que podamos conseguir, y estoy seguro de que ella nos puede aportar un nuevo enfoque.

—¿Vamos a obligar al Homicida de Niños a que haga terapia y así deje de matar? —preguntó Devin, que se había acercado a Bennet.

—Muy gracioso, Walsh. Pero el que hará terapia serás tú si no dejas las tonterías —respondió Bennet—. Y ya que estás aquí, te presentaré: Alexis, él es tu nuevo compañero. El detective Devin Walsh.

—¿Su qué? —preguntó Devin— ¡De ninguna manera! ¡Yo trabajo solo!

—Ya no. —El jefe le sonrió a Walsh y le palmeó un hombro—. Compórtate, ¿quieres?

Y se alejó sin dar más explicaciones.

PARTE II

1

AL DÍA SIGUIENTE, Álex llegó temprano a la estación de Policía.

Al salir del elevador notó que todos la miraban: algunos con desconfianza, otros con curiosidad. ¿La mayoría mostrando cierta diversión?

¿Nunca habían trabajado con un psicólogo? ¿Acaso un terapeuta era para esos policías como un fenómeno de circo?

Supuso que no era su mera presencia lo que generaba la extrañeza en sus compañeros, y se sintió como un objeto de exposición y deseó esconderse en algún lado.

—Hola —un oficial uniformado la saludó y luego se acercó a ella ofreciéndole un café—. Soy Tom Nichols. Quería darte la bienvenida a esta casa de locos.

—Gracias —dijo Álex y aceptó el café que Nichols le ofrecía—. Soy Alexis Carter. Y es bueno sentir que no soy un bicho raro. Al menos no para todos.

—¿Te refieres al modo en que todos te miran?

—Me alivia saber que no es solo una percepción mía.

Aunque no me alegra, la verdad. Y sí, exactamente a eso me refiero.

—No es por ti —dijo Nichols—. No te preocupes. Ven, te prepararé un sitio para que puedas acomodarte. No pasarás mucho tiempo aquí, pero necesitarás un lugar donde trabajar cuando lo estés.

—¿A qué te refieres con que no es por mí? —preguntó Álex siguiendo a Nichols por un corredor oscuro.

—Es por Walsh. —Nichols se detuvo junto a un escritorio que estaba cubierto de carpetas y las sacó de ahí. Como no tenía dónde apoyarlas, se quedó de pie frente al mueble con la pila de carpetas ente los brazos.

—¿Por Walsh?

—Es que él es un ermitaño. Un lobo solitario. Y no debe estar feliz con esta situación.

—Supongo que «esta situación» vendría a ser yo. ¿Correcto?

—Correcto. —Nichols sonrió y miró alrededor buscando algún sitio en donde apoyar las benditas carpetas. Pero como no encontró ninguno, se agachó y las dejó en el suelo. Más tarde les buscaría un lugar más apropiado—. No lo tomes personal, Carter. A Walsh no le gusta trabajar con nadie. Se lleva bien con todos y tiene algunos amigos, pero trabaja solo. Y siempre se encarga de dejarlo claro.

—¡Qué bien! —Álex supuso que correrían apuestas sobre su permanencia como compañera del detective.

—No te preocupes, Carter, eres la novedad. Pero con todo lo que ocurre en estos momentos, la novedad pasará pronto. Te lo prometo.

Álex sonrió, se quitó la chaqueta y, después de colgarla en el respaldo de la silla, se acomodó en el lugar que le habían asignado.

—Cualquier cosa que necesites, me la pides —dijo Nichols

antes de retirarse—. Me encontrarás en la recepción, cerca de la oficina del jefe.

—Has sido muy amable —dijo Álex—. Gracias, necesitaba una palabra amable.

—Todos las necesitamos de vez en cuando —dijo Nichols, que después de guiñarle un ojo a Alexis se alejó.

Cuando se quedó sola, Álex buscó en su portafolios el expediente del caso. Bennet se lo entregó el día anterior, justo después de presentarla.

Acomodó la carpeta sobre el escritorio y comenzó a leer.

Tenía mucho con lo que ponerse al día.

2

————————————

—JEFE, ¿puedo hablar contigo? —preguntó Devin Walsh, que sin golpear entró en la oficina de Todd Bennet—. Es sobre mi nueva… compañera.

—No tengo nada para decir al respecto. —Bennet siguió revisando unos documentos que tenía sobre su escritorio.

—Pero yo sí —dijo Devin y tomó asiento frente a su jefe —. No tengo nada personal en contra de la psicóloga, Todd. De verdad. Pero no creo que pueda aportar mucho a la investigación y, francamente, no estoy dispuesto a hacer de guardaespaldas de una civil.

—No me interesa a lo que estés dispuesto, Walsh —dijo Bennet, que dejó lo que estaba haciendo para mirar a Devin y dejarle bien en claro quién mandaba y que hablaba en serio —. Lo que importa aquí es a lo que «yo» no estoy dispuesto. Y ocurre que no estoy dispuesto a dejar escapar a este maldito. Y tampoco estoy dispuesto a perder todo por lo que he luchado, Devin. Y si este loco tiene motivaciones religiosas, sexuales o políticas, quiero saberlo. Quiero saber qué piensa. Qué come. Qué caga. Qué lugares frecuenta. Qué auto

36

conduce. Y si para eso necesitamos la ayuda de una psicóloga, de un oráculo o de una pitonisa, la tomaremos. ¿Me has entendido?

—Para no tener nada que decir sobre el asunto, lo ha dejado bastante claro.

—No me jodas, Walsh.

Devin no dijo ni una palabra más. Se limitó a asentir y abandonó la oficina.

Él sabía perfectamente cuándo abandonar una batalla que estaba perdida.

Álex esperaba sentada junto a la máquina de café. Había pasado un buen rato buscando a Devin Walsh en la estación hasta que alguien le dijo que él estaba con el jefe.

Ella no era tonta, y además, ya había notado la hostilidad del detective cuando Bennet los presentó.

Sabía que hablaban de ella. Y sabía que Walsh haría todo lo posible por sacarla del medio.

Pero no diría nada por ahora. Intentaría hacer su trabajo y encajar. Y si encajar no era posible, se conformaría con hacer bien su trabajo y punto. Al fin de cuentas, lo único importante, por ahora, era capturar al maldito Homicida de Niños.

Desde donde se encontraba, Álex vio salir a Walsh del despacho del jefe Bennet.

El detective también la vio a ella. Y se le acercó.

—Carter —saludó él.

—Walsh —respondió ella y se puso de pie—. Me gustaría conversar contigo acerca del caso. Que me ayudes a ponerme al tanto. Hay algunas cosas que no logro…

—Si quieres ponerte al tanto, Carter, te aconsejo que te aprendas el expediente de memoria. Si no conoces hasta el último detalle de esta investigación, si no la tienes grabada en tu memoria y presente cada maldito minuto de cada maldito día, no podrás hacer tu trabajo. Y lo que es peor, entorpecerás el mío. Y no voy a permitirlo diga lo que diga Bennet.

—No es necesario que seas desagradable, ¿sabes? Si me hablas con cortesía, comprenderé igual.

—Tienes razón —admitió Walsh—. Lo siento. Tú no tienes la culpa de esto. Yo trabajo mejor solo. No es personal, quiero que lo sepas, pero la situación no me agrada.

—Lo entiendo y te agradezco la franqueza. Con las cosas claras todo funcionará mejor. Y para que lo sepas, yo tampoco he pedido trabajar contigo. Y también trabajo sola. Lo ideal sería aceptar la situación como viene y tratar de colaborar mutuamente, será lo mejor para los dos y, supongo, también lo mejor para el caso. De todos modos, te informo que me sé el expediente de memoria. Solo quería conversar contigo para que me contaras tus impresiones. Esos pequeños detalles que no están en los papeles. Me interesaba conocer tu visión sobre el asunto, tus pálpitos. Pero no te preocupes, ya lo iremos viendo.

—¿Pálpitos? ¿Impresiones? —dijo Devin—. Nada de eso importa, yo me apego a los hechos y nada más.

—Nadie se apega solo a los hechos. Ni siquiera tú. Sabes a lo que me refiero. A esas cuestiones que tienen que ver más con el instinto que con lo racional.

Devin asintió. La chica no tenía pelos en la lengua y eso le gustó. Igual la situación no le agradaba. En lo más mínimo.

—¿Qué quieres hacer? —pegunto él al final, intentando cambiar de tema y, sin éxito, sonar un poco más agradable.

—¿Podemos ir a la morgue?

—¿A la morgue?

—Quiero hacerme una idea de a quién nos enfrentamos.

—A un maldito enfermo nos enfrentamos. —Devin se puso la chaqueta—. Eso puedo decírtelo yo. Ahí tienes mis impresiones. Pero si quieres ir a la morgue, iremos a la morgue. Cómo no.

Álex tomó su bolso y siguió a Devin, que salió de la estación maldiciendo en silencio a Bennet.

~

El edificio en donde funcionaba la Morgue Metropolitana se elevaba en medio de Topeka como un adoquín: gris, cuadrado y aburrido. Pero cumplía su función y era de fácil acceso.

Álex y Devin no tardaron mucho en llegar hasta ahí. Se anunciaron con el guardia de seguridad que vigilaba la recepción y fueron conducidos a la desordenada oficina de Felipe Lamont, un analista forense de la Morgue Metropolitana que a menudo trabajaba con Walsh.

Hacía tiempo que ambos hombres trabajaban juntos. Y se entendían muy bien.

Walsh confiaba en la meticulosidad de Lamont, en su profesionalismo. Y Lamont confiaba en la honestidad de Walsh. Y en su seriedad.

Con el transcurso de los años se habían hecho amigos y Lamont sabía que a Walsh le gustaba trabajar solo. Por eso le extrañó verlo acompañado por una mujer.

—¿Te han puesto vigilancia, viejo? —preguntó Lamont apenas los vio entrar. Extendió la mano y saludó a su amigo. Ignoró por completo a Álex.

—Te presento a mi compañera, Alexis Carter —dijo Walsh—. Es psicóloga y está trabajando con nosotros como perfiladora criminal. Bennet cree que necesitamos un nuevo enfoque.

Álex estiró la mano para estrechar la del analista, pero Lamont no le hizo ningún caso.

Se limitó a mirarla de arriba abajo y a continuar la conversación con Walsh como si ella no estuviera ahí.

—La autopsia nos está llevando más tiempo del esperado porque…

—Parece que las normas básicas de cortesía no se aplican para los hombres del Departamento de Policía de Topeka —dijo Álex bajando su mano y sintiéndose como una idiota—. Casi todos por aquí se han esforzado en dejarlo claro.

—Si vienes por el niño que encontraron ayer, aún no hemos terminado con él —dijo Lamont a Walsh sin responder al comentario de Carter.

—Perfecto —dijo Álex interponiéndose entre Lamont y Walsh. Ella no iba a permitir que nadie, menos aún ese analista forense grosero la tratara de ese modo—: quisiera verlo. ¿Puede llevarme a ver el cuerpo de Michael Long mientras usted sigue con su trabajo?

Felipe miró a Walsh. Le molestó la actitud de la mujer, pero sobre todo le llamó la atención su interés con respecto al cadáver.

Como analista en la Morgue Metropolitana había visto muchas cosas. Pero era la primera vez que un psicólogo forense se interesaba en ver un cadáver durante la autopsia. Incluso, la mayoría tampoco se interesaba en verlo después. Se conformaban con mirar las fotografías y, en ocasiones, ni siquiera eso.

Por otra parte, un cuerpo abierto en canal en medio de una sala de autopsias no constituía un espectáculo agradable. Para nada. Y él no entendía qué beneficio podía sacar la perfiladora criminal con aquello.

Cualquier persona en sus cabales evitaría presenciar las autopsias. ¿Qué se proponía esta mujer?

—¿Y qué puede aportarle a usted la autopsia, si puedo saberlo? —preguntó, cauteloso, Lamont.

—Mi trabajo aquí es tratar de armar un perfil del criminal. Con suerte, si lo logro, podremos acercarnos más a él y atraparlo. La única forma que tengo de acercarme a él, por ahora, es a través de su trabajo. Es decir, de sus víctimas. — Álex estaba molesta. ¿Qué demonios le importaban a Lamont sus métodos? Ella quería ver el cadáver. Y el señor Lamont debía limitarse a mostrárselo. ¿O no?—. De todos modos, señor Lamont, no tengo por qué explicarle ni mis motivaciones ni mis métodos. Pero si quiere saberlo, además poseo ciertas... habilidades empáticas, podríamos decir. Y sería muy conveniente para mí tener la oportunidad de tocar el cuerpo.

—¿Habilidades empáticas? —preguntó Lamont algo sorprendido—. ¿Qué demonios son las habilidades empáticas?

—Algo que, evidentemente, yo poseo, pero usted no.

Devin tuvo que hacer un esfuerzo para no sonreír.

La psicóloga tenía carácter, le concedía eso. Y pasión. Y cualquiera que tuviera pasión por su trabajo tenía el respeto de Walsh.

Incluso esa «loca».

—Vamos —dijo por fin el detective. La psicóloga estaría chiflada, por paradójico que resultara aquello, pero su jefe le ordenó trabajar con ella. Y él lo haría. Siempre y cuando eso no pusiera en riesgo la investigación, ese sería su límite. Y como iban las cosas, Walsh temió que estuvieran muy cerca de cruzarlo—. Muéstranos el cuerpo, Felipe.

Álex y Devin siguieron a Lamont por una serie de pasillos laberínticos hasta la sala en donde se estaba realizando la autopsia.

El cuerpo del niño yacía, desnudo, sobre una camilla en medio de la sala. La luz blanca y fría de las lámparas teñía el cuerpo de una tonalidad azulada que tornaba la escena, si acaso era posible, aún más desagradable.

Álex se acercó y observó el cuerpo.

Notó marcas a la altura de las muñecas y de los tobillos. Sin duda lo habían atado. Todavía podían verse las escoriaciones sobre la piel blanca.

Entonces apoyó su mano sobre la frente del niño. Al hacerlo lo vio vivo, arrinconado, atado, sucio.

Y muy asustado.

Pudo ver una sombra que se cernía sobre él. Pudo sentir la oscuridad que lo acechaba. También pudo ver el terror en sus ojos. Pero no estaba atado en ese momento. Y estaba afuera. En un lugar abierto y rodeado de otros niños.

Ahora aquellos ojos ya no estaban. El asesino se los había quitado. Pero ¿por qué?

Álex deslizó su mano hacia atrás y acarició el pelo del niño.

Suave. Se sentía suave.

—¿Usted le ha lavado el pelo a este niño, Lamont? —preguntó Álex después de separar la mano del cuerpo.

—¿Por quién me toma, señorita Carter? —Felipe sonaba ofendido—. ¿Cómo se le ocurre que podría haber lavado el cuerpo? ¡Se perdería toda la evidencia! No soy tan idiota.

—¿Por qué? —Devin se acercó a la mesa de autopsias intrigado por la pregunta de su compañera e ignorando, por completo, a Lamont—. ¿Por qué preguntas eso?

—Porque este niño tiene el cabello limpio. —Álex señaló a Devin la cabeza del pequeño Michael Long—. Es evidente que ha sido degollado, ¿verdad?

Devin asintió.

—Si fue degollado, debió haber sangre por doquier. Y el cabello del niño debería estar sucio, pegoteado. Lleno de restos de sangre. Y de tierra, pasto y hojas pegados a esa sangre. Insectos incluso. Pero no es así. El cabello está limpio. Tiene briznas y pajitas por haber estado a la intemperie, pero está limpio.

Lamont y Devin se miraron: Álex tenía razón.

—¿Tiene las fotos del momento en que hallaron el cuerpo, señor Lamont? —preguntó la joven.

Felipe asintió y buscó en una carpeta que tenía junto a la mesa de autopsias. Sacó las fotos y apuntó las luces sobre ellas para que pudieran verlas mejor.

—Miren —dijo Álex después de observarlas unos segundos, señalando otra vez la cabeza del niño—. El cabello no solo está limpio, está peinado.

Walsh y Lamont miraron a Álex con nuevos ojos. En apenas dos minutos ella había visto algo que a todos se les pasó por alto.

«Estaría loca de atar, pero era astuta. Y observadora», pensó el detective.

—¿Qué crees que signifique? —preguntó Walsh.

—No lo sé con exactitud, pero nos habla del asesino. No tengo dudas sobre eso. Sea quien sea el asesino, no desprecia a sus víctimas. No las odia. Puede que el motivo sea religioso, una especie de ritual. Y si las víctimas fueran ofrendas, el asunto se complicaría. Porque no es personal. Y si no es personal, perfilar a este sujeto se va a tornar muy, muy difícil.

3

Las observaciones que Álex hizo en la morgue intrigaron a Devin.

Todo el asunto de las habilidades empáticas le parecía una locura y un embuste de cabo a rabo, pero su compañera había resultado ser observadora. Y tal vez, solo tal vez, fuera útil para ayudar en la investigación.

A fin de cuentas, el asunto del cabello de Michael Long se les había escapado a todos. Incluso a él.

Tenerla de su parte podía no ser tan mala idea después de todo.

Así que, decidido a saber más sobre su compañera y su modo de pensar, al salir de la morgue le propuso que fueran a tomar un café para charlar sobre el caso.

—No puedo entender cómo no advertí que al niño le habían lavado el cabello —dijo Devin mientras le agregaba azúcar a su café.

—No todos observamos las mismas cosas, Walsh.

—Soy detective, mi trabajo es mirar. —Devin bebió un sorbo de café. Estaba fuerte, como a él le gustaba—. Si detalles como este se me escapan, no lograré atrapar a ese bastardo antes de que se cobre otra víctima.

—Bueno, pero ahora estoy yo —dijo Álex, que aún no había tocado su café—. No es que no crea que no seas capaz de resolver este caso. Pero cuatro ojos ven más que dos, como decía mi abuela. ¿Te he contado sobre mi abuela? Era una mujer muy sabia. Ella nunca...

Álex notó que Devin la miraba raro. Siempre le ocurría lo mismo cuando hablaba con personas nuevas.

—Lo siento. —Álex tomó una cuchara y la hizo girar entre sus dedos—. Cuando converso tiendo a divagar. Los que me conocen saben que lo hago. Y me detienen. Pero a los extraños los desconcierto un poco.

—Es bueno saberlo —dijo Devin y sonrió—. No creo estar en la categoría de extraño. Ya no, al menos. A fin de cuentas, soy tu compañero ahora. Y pasaremos juntos la mayor parte del día. Así que, cuando comiences a divagar, te daré un codazo o un coscorrón.

—Preferiría que no. Pídeme que me detenga y listo. Es más civilizado que un coscorrón, ¿no crees?

—Lo creo, sí.

—Hazlo entonces. —Álex también sonrió—. No estaría mal recibir tu ayuda en este nuevo empleo. Una vez, cuando estaba en la universidad...

—Detente.

Álex cerró la boca y después soltó una carcajada.

Luego bebieron sus cafés en silencio. Pensativos.

A los dos les preocupaba lo mismo: no poder atrapar al Homicida de Niños. Pero sus razones eran diferentes.

A Devin lo aterraba que hubiera otra víctima. No quería un nuevo caso Spencer en su vida. No podía dejar escapar, otra vez, a un asesino de niños. Si no lograba resolver este caso...

No podía ni pensar en lo que le ocurriría si no lograba resolver este maldito caso.

Álex, en cambio, temía fracasar también en este nuevo trabajo. No le importaba que la gente se riera de ella o no le creyese, sabía que su empatía era real. Que existía. Si lograba dar con el asesino, se lo probaría a los demás. Pero si no lo conseguía… No quería ni pensar en la posibilidad de volver al consultorio a escuchar los interminables lamentos de la señora Madox.

—¿Qué crees que signifique lo del cabello? —preguntó Devin, de pronto, porque no lograba sacarse el asunto de la cabeza.

—Pueden ser varias cosas: un ritual, algo religioso. Incluso puede ser arrepentimiento. No lo sé con certeza. Necesito otros elementos para ver mejor el cuadro completo.

—Jessica Ortiz también habló de motivos religiosos —dijo Devin. Y le hizo una seña a la camarera para que le sirviera más café.

—Pero sí puedo decirte algunas cosas.

En ese momento la camarera se acercó y volvió a llenar las tazas con café caliente.

Devin con un gesto agradeció a la muchacha, que le guiñó un ojo y se alejó.

—¿Qué cosas? —preguntó Walsh.

—El asesino es un hombre fuerte. Michael Long era un niño, pero no era pequeño. Era alto y robusto. El asesino tiene que ser fuerte si pudo cargarlo cuando ya había muerto.

—Bueno, no es necesario que sea tan fuerte. Al fin de cuentas, robusto o no, se trataba de un niño.

—Mira, de los informes surge que Michael no murió en el lugar en donde fue hallado. ¿No es cierto? —preguntó Álex.

Walsh asintió.

—Y tampoco encontramos sangre en ningún lugar cercano, ¿correcto?

—Así es.

—Por lo tanto, el asesino tuvo que cargar el cuerpo un buen trecho. No hay casas ni graneros cerca. Michael era un niño, sí, pero no cualquier hombre hubiera podido cargarlo mucho tiempo. Tuvo que ser alguien fuerte. Sin duda. Un alfeñique no hubiera podido hacerlo. Te lo aseguro.

—Pudo llevarlo en automóvil o en camioneta.

—¿Y dónde están las huellas de neumáticos? No, el asesino llegó andando y cargó el cuerpo todo el camino, porque tampoco hay huellas ni signos de arrastre.

Devin reflexionó unos instantes.

—Es posible que tengas razón —dijo al fin.

La lógica de Álex era impecable. ¡Maldita sea! No podría alegar estupidez para deshacerse de la chica. Eso estaba claro.

—Otra cosa que puedo decirte —continuó ella— es que tiene conocimiento de animales. Que trabaja con ellos.

—Sí, yo creo lo mismo. —Devin abrió una carpeta que Álex dejó sobre la mesa y que contenía varias fotos de las tres víctimas. Buscó algunas en las que se vieran claramente las heridas—. Los cortes son precisos. En los tres casos. Certeros. El asesino está acostumbrado a matar. Y no le tiembla el pulso cuando lo hace. Sabe cómo y cuándo cortar. Y eso solo se logra con práctica. No pudo practicar con personas, si no Topeka estaría cubierto de cadáveres. Así que tuvo que hacerlo con animales. Animales grandes, probablemente.

—Exacto —dijo Álex y se apresuró a guardar las fotos cuando notó que algunas personas que estaban por ahí podían verlas—. Y hay algo más…

—Dime.

—Michael tuvo miedo. Mucho miedo.

47

—Bueno, cualquiera tendría miedo si lo van a asesinar, ¿no crees?

—No, tuvo miedo cuando lo atraparon. Incluso antes. Michael Long era un niño asustadizo.

—Y eso lo sabes porque…

—Lo supe cuando toqué el cuerpo. Pude sentir su miedo como si lo estuviera sintiendo yo.

—Detente.

—¡No estoy divagando!

—Lo sé. Pero estás diciendo tonterías, Carter.

Devin estaba furioso. Él era un hombre racional. Un hombre al que solo le importaban los hechos. La fría y confiable lógica de los hechos.

De ninguna manera se iba a dejar llevar por poderes empáticos, brujería o estupideces. Incluso si provenían de su compañera. O tal vez, sobre todo porque provenían de su compañera. Ella debía ayudarlo a pensar, no confundirlo más de lo que estaba.

No. De ninguna manera continuaría por ese camino.

—No son tonterías. Y lo que pienses, honestamente, me tiene sin cuidado. Yo sé lo que te digo. No me preocupa que me creas. Este es mi método, y lo utilizaré cómo y cuándo me plazca. Te guste a ti o no.

Álex buscó unos dólares en su bolso y los dejó sobre la mesa antes de levantarse y salir de la cafetería.

Devin la siguió y la alcanzó en la vereda, junto a la puerta.

—Espera —dijo y la tomó del brazo—. ¿Por qué te vas?

—Porque tengo una corazonada.

—¿No te has enfadado?

Devin estaba sorprendido, creyó que Álex se había ofendido y que por eso salía de aquella forma tan intempestiva.

—¿Enfadado? —Álex sonrió— ¿Por qué no me crees? ¡Claro que no! No esperaba que lo hicieras, Walsh. Eres racional, estructurado, algo arrogante y bastante aburrido. No. No espero que me creas. Ni tampoco me enfada que no lo hagas. Así que no te preocupes.

Devin se quedó sin palabras. Decidió ignorar el comentario y volver al asunto de la corazonada.

—¿Y qué corazonada es esa?

—Necesito ver a los padres de Michael Long.

—¿Para qué?

—No lo sé. Lo único que sé es que debo ir.

Devin no creía ni en intuiciones ni en corazonadas, pero hablar con los padres de Michael Long era una idea tan buena como cualquier otra.

A fin de cuentas, era un hilo del cual tirar.

—Bien, vamos allá —dijo—. Es aquí cerca.

4

La MUJER que abrió la puerta parecía un espectro. Delgada, con ojeras, pálida. Desolada. Esa era la palabra. Desolada. Usaba un saco que le quedaba enorme y tenía los labios apretados, rígidos. Álex pensó que esa boca se mantenía cerrada, únicamente, a fuerza de voluntad. Imaginó que, si se abría, solo escupiría alaridos y lamentos.

—Señora Long —dijo Devin y mostró su placa a la mujer—. Soy el detective Walsh y ella es mi compañera, Alexis Carter. Nos gustaría conversar con usted. ¿Podemos pasar?

La señora Long con una mano cerró el saco a la altura de su cuello, luego abrió un poco más la puerta y los dejó entrar.

La casa era puro dolor: las cortinas bien cerradas para que no entrara la luz, polvo acumulado de días y una tristeza que lo cubría todo como una pátina. Casi podía olerse en los rincones, algo que no abandonaría nunca a la familia Long.

Álex pensó que así debía sentirse una tumba desde adentro. Porque en las tumbas solo habitaba la muerte. Y en aquella casa también.

—¿Hay alguna noticia? —preguntó la mujer sentándose en un sillón mientras con un gesto invitaba a Walsh y a Carter a que hicieran lo mismo.

—No todavía —dijo Devin—. Pero me gustaría hacerle unas preguntas. ¿Es un buen momento ahora?

—Nunca es un buen momento para hablar sobre el homicidio de un hijo. Digamos que es tan malo como cualquier otro. Adelante, lo escucho.

—El día en que Michael fue secuestrado, o tal vez en días anteriores —dijo Devin— ¿Notaron algo extraño? ¿Algún sujeto se acercó a su hijo?

—¡No! ¡No! ¡No! —A la señora Logan se le quebró la voz —. ¡Ya respondimos todas esas preguntas a los otros detectives! ¡A los que se ocupaban del secuestro! Y fue inútil, porque mi pequeño Mickey está muerto. Y en lugar de intentar atrapar al bastardo que lo asesinó, ustedes están aquí, conmigo, preguntando lo mismo una y otra y otra vez. ¿No tiene nuevas preguntas para hacer, detective? ¿O es que el cuerpo de Policía de Topeka está conformado por idiotas?

—Señora Long, escúcheme. —Álex, se puso en cuclillas junto a la mujer, la tomó de las manos—. Entiendo su frustración, de verdad. Y su dolor. No soy madre, ¿sabe?, pero sé lo que es perder a un ser amado de forma violenta. Así que imagino por lo que usted debe estar atravesando. Casi puedo sentirlo. Nosotros no hemos venido a molestarla. No. Nosotros queremos ayudar a su familia, pero necesitamos hacer este camino. El detective Walsh tiene que hacer preguntas, muchas preguntas. Aunque duelan. Aunque usted piense que son estúpidas, a nosotros nos ayudan. Créame. Porque ese es el modo en que hallaremos al maldito que asesinó a Michael. ¿Me comprende?

Devin observaba impresionado: Álex había conectado con la señora Long de un modo en que él nunca hubiera podido. De un modo en que, de hecho, nunca conectó con nadie. Evidentemente, ser terapeuta tenía algunas ventajas a la hora de interrogar a las personas.

La señora Long asintió y apretó las manos de Álex.

—Necesito pedirle algo —dijo entonces la detective—. ¿Me dejaría entrar a solas en la habitación de Michael?

—¿A solas? —La señora Long retiró su mano y se alejó de Álex—. ¿Para qué? ¿Por qué a solas?

—A veces —explicó Álex—, los niños dejan claves. Cuando están siendo molestados por alguien, o cuando tienen miedo, dejan rastros. Esos rastros suelen pasar desapercibidos. Pero como psicóloga y terapeuta, estoy entrenada para verlos. Para interpretarlos.

Álex esperó a que la señora Long comprendiera lo que le estaba explicando. Eran puras patrañas, desde luego. Ella quería entrar a la habitación de Michael, claro, pero por otras razones.

Cuando en la morgue tocó el cuerpo del niño tuvo una corazonada. Una fuerte sensación de que debía ir a su cuarto. No sabía para qué, pero sabía que allí encontraría algo. Y sí, era verdad que los niños dejaban rastros cuando estaban asustados, como todo el mundo. El asunto era que solo aquellas personas con el don de Álex podían seguirlos.

—¿Y por qué a solas? —preguntó la señora Long.

—Porque si usted o cualquier otra persona entra conmigo no lograré concentrarme.

La señora Long, aún desconfiando un poco, asintió y luego le indicó a Álex dónde estaba la habitación de Mickey.

∿

El cuarto del niño era como cualquier habitación infantil: abarrotado de juguetes, caótico, alegre.

Un espacio en dónde crecer y, a veces, en dónde esconderse.

Era obvio que nadie había tocado nada desde que Michael desapareció. Mejor. Mucho mejor.

Álex paseó entre los juguetes y libros desparramados por el suelo, acarició los muebles, olió la chaqueta sobre la cama.

Y entonces escuchó la música del carrusel.

Suave primero, fuerte después. Y sintió que el suelo se movía. Que daba vueltas.

Michael montaba un caballito y reía mientras subía y bajaba, y subía y bajaba otra vez.

Se oían voces de niños diciendo tonterías. Y risas. Muchas risas. Mickey también reía, y hablaba más tonterías con otros niños.

La música se detuvo de golpe. Y Álex, sorprendida, tuvo que sentarse en la cama para no caer al suelo. Se sentía un poco desorientada y no entendía por qué tenía la chaqueta de Michael entre las manos.

Unos minutos después, aún abrumada, volvió al salón en busca de Devin, que justo en ese momento miraba la pantalla de su móvil, cortando una llamada.

—Debemos irnos —dijo—. Jessica ha encontrado una pista.

5

Cuando Devin y Álex llegaron al laboratorio, Jessica, inclinada sobre un microscopio, investigaba algo, tan concentrada, que no los escuchó entrar.

—Si fuera un delincuente, cariño, ya estarías muerta —dijo Devin y tocó el hombro de la joven analista forense.

—Si fueras un delincuente, cariño —dijo Jessica sin inmutarse—, no hubieras llegado hasta aquí. Salvo que Frank estuviera muerto. ¡Frank! ¿Estás muerto?

—No lo estoy —gritó el asistente de Jessica, que hacía las veces de recepcionista—. Pero lo estaré pronto si continúas pegando esos gritos cuando me necesitas. Cualquier día de estos me dará un infarto.

—El infarto te dará si sigues comiendo pollo frito y hamburguesas cada día de tu vida. No me culpes a mí de eso.

Walsh sonrió y esperó que Jessica terminara lo que fuera que hacía mientras Álex curioseaba por el laboratorio.

Ella nunca había estado en un laboratorio criminal y le llamó la atención que luciera igual que cualquier otro. Aunque ordenado y organizado hasta el más mínimo detalle.

—No hay diferencia con un laboratorio normal y corriente —dijo Álex, al fin, después de mirarlo todo.

—¡Oh, no! No te confundas, Carter —dijo Jessica, que en ese momento estaba anotando algo en un cuaderno—. Es muy, muy diferente. En un laboratorio normal y corriente nunca encontrarás las cosas que procesamos aquí buscando evidencias.

—Si criticas su laboratorio, estarás en serios problemas, Carter —dijo Walsh y le guiñó un ojo a Jessica, que ahora se lavaba las manos—. No digas que no te lo advertí.

Álex notó la camaradería entre Jessica y Devin. Y le sorprendió notar que era solo eso: camaradería.

La forense era una mujer pequeña, pero exuberante, como buena latina. Y Devin, un moreno atractivo. Pero entre ellos no había ni una pizca de tensión sexual.

Álex se sintió estúpida al notar que eso la alegraba.

—Tenías razón, Carter —dijo Jessica, que se acercó sosteniendo una toalla con la cual se secaba las manos.

—¿En qué?

—«Siempre hay algo», dijiste cuando el jefe Bennet te presentó en la estación. Y tenías razón. Siempre hay algo.

—¿Qué encontraste? —preguntó Walsh por fin.

—Tal vez nada —dijo Jessica y acercó una bolsa plástica que, a simple vista, parecía vacía—. Pero en todos los casos se repite un patrón: los cuerpos han sido lavados, casi desinfectados, diría, a tal punto que hasta ahora no habíamos encontrado nada.

—¿Pero…? —dijo Álex.

—Pero… puede que en el cuerpo de Michael Long haya quedado algo.

—¿A qué te refieres? —preguntó Devin.

—¿Podrías apagar las luces, Frank? —le pidió la forense mientras preparaba una pantalla y colocaba el contenido de la bolsa plástica en el portaobjetos del microscopio.

Cuando las luces se apagaron, en la pantalla apareció una especie de piedra. Álex no tenía idea de qué era lo que estaba viendo.

—La imagen está ampliada muchas veces, por supuesto —dijo Jessica—. En la rodilla de Michael Long encontré este gránulo. Al principio creí que era tierra. Posiblemente en otro caso lo hubiera descartado, porque es insignificante, pero como en el caso del Homicida de Niños no tenemos nada, me tomé el trabajo de cotejar el gránulo con la tierra del área. Y no hubo coincidencia. No es tierra.

—¿Dices que no es tierra? —preguntó Devin.

—No lo es.

—¿Y entonces qué cuernos es? —insistió el detective.

—No lo sé —respondió Jessica y se quedó mirando la pantalla fijamente—. Pero lo averiguaré. Debemos hacer varias pruebas para determinar de qué se trata. Es posible saberlo. Pero como debo comparar la estructura química de la partícula con todos los elementos que se me ocurran, averiguar de qué se trata llevará tiempo.

—¿Cuánto tiempo? —Devin se sentía frustrado. La forense necesitaba tiempo para darles una respuesta que, probablemente, no los llevaría a ninguna parte. Pero, justamente, tiempo era lo que no tenían. El homicida podía volver a atacar en cualquier momento. Y él no pensaba permitirlo.

—No lo sé. El necesario hasta encontrar una coincidencia.

—Walsh estaba molesto: la visita al laboratorio no había sido otra cosa que una monumental pérdida de tiempo.

A fin de cuentas, Jessica no les dijo nada que no supieran: los cuerpos estaban limpios. ¿Y qué?

Esas eran noticias viejas. Y el gránulo podía ser cualquier cosa, y podrían tardar años en descubrir de qué se trataba. A ese paso nunca atraparían al asesino. Y él nunca volvería a trabajar en una ciudad grande. Se jubilaría en Topeka como el detective idiota que no pudo atrapar ni al Homicida de Niños ni al asesino del caso Spencer.

—Jessica —dijo entonces Álex, que se había mantenido en silencio, observando la imagen—. ¿Cuánto te llevaría saber si la partícula es caucho?

—¿Caucho? —A la analista le sorprendió el pedido de Álex, pero no hizo más preguntas—. Unos minutos. Tal vez menos. Una vez que cargue los datos en la computadora sabremos la respuesta. Si hago la comparación con un solo elemento no tardaré nada.

A pesar de querer largarse de allí, Walsh no se opuso. Ya había sido testigo del poder de observación de su compañera. Y si Álex hizo esa pregunta, tendría sus motivos. ¿No?

—¿Puedes hacerlo ahora? —le pidió Carter.

—Claro. —La forense cargó los datos en la computadora y, después de unos segundos, el sistema marcó una coincidencia.

—¡Es caucho, maldita sea! —dijo Jessica sorprendida— ¿Cómo demonios lo supiste?

Devin también se veía sorprendido.

—Cuando más temprano estuve en la habitación de Michael Long tuve una… una especie de visión.

—¿Una especie de visión? —preguntó Jessica— ¿A qué te refieres?

—Michael jugaba en un carrusel, y el piso del patio de recreo, el que rodeaba al carrusel, digo, era de caucho, o eso me pareció. Ahora tuve la corazonada de que esa partícula podía provenir de allí. Eso es todo.

—Detente —dijo Devin.

—¡Que no estoy divagando! Y, además, ya me detuve.

—Lo sé, pero otra vez estás diciendo tonterías. —Devin

sonaba alterado—. ¿De qué visiones hablas? ¡No existen cosas tales como visiones, corazonadas ni presentimientos!

—Que tú no los hayas experimentado no quiere decir que no existan, Walsh. Cuando era niña, mi padre solía decir que...

—Detente. —Devin se restregaba los ojos—. Ahora sí que divagas.

Jessica no entendía mucho ni de visiones ni de pálpitos. Tampoco creía en ellos. Pero sí entendía de ciencia. Y, para ella, lo único importante era que habían descubierto de qué material era la bendita partícula. Y encima, en tiempo récord. Así que no hizo más preguntas a Álex sobre el asunto de «la visión». De todos modos, no le creía.

—¿Estás segura de que es caucho, Jessica? —preguntó Devin.

—Muy segura.

—Entonces iremos a ver todos y cada uno de los parques de esta maldita ciudad hasta encontrar el que tiene el piso de caucho.

—¿No que no crees en pálpitos ni en visiones? —lo provocó Álex.

—Y no lo hago. Pero por ahora no tengo nada mejor que hacer —dijo y se dirigió a la puerta—. Vámonos, Carter. Salgamos de aquí antes de que me arrepienta.

6

Topeka no es una ciudad muy grande. Ni siquiera es la más grande del estado de Kansas, aunque es su capital. Por eso Álex y Devin se sorprendieron al descubrir que tenía dieciocho parques de juegos. Dieciocho. Y que algunos de ellos estaban realmente alejados del centro de la ciudad. Visitarlos a cada uno les llevó el resto del día. Ninguno tenía el piso de caucho y, más importante aún, ninguno despertaba en Álex más que curiosidad o indiferencia.

Devin comenzaba a enfadarse consigo mismo: ¿cómo demonios se dejó arrastrar a semejante estupidez? Suerte. Eso había tenido su actual compañera, puta suerte al descubrir que la partícula que Jessica encontró era caucho.

Pero todo el asunto del carrusel era, nada más y nada menos, solo una monumental patraña.

Y él se había dejado arrastrar, como si fuera un principiante, a perder el tiempo recorriendo parques infantiles.

—Volvamos —dijo mientras conducía después de visitar el parque número diecisiete—, esto no tiene sentido.

—Sí lo tiene —dijo Álex—. Estoy segura. Además solo nos

queda un lugar que visitar. Si no es allí, no insistiré más. Lo prometo.

A regañadientes, Devin aceptó. Además Álex tenía razón, solo un parque más y por fin se terminaría la aventura de recorrer parques de Carter la chiflada.

Apenas volvieran a la estación le diría al jefe que no continuaría trabajando con ella. No se sentía a gusto lidiando con visiones y presentimientos.

Dijera lo que dijera Bennet, hasta allí llegaba el asunto de tener una compañera.

En el instante en que llegaron al último parque, Álex supo que era el lugar correcto. Estaba lo suficientemente alejado como para que en los alrededores no hubiera mucha gente y, además, algo en el ambiente le resultaba familiar.

—Es aquí, Walsh —dijo sin mirarlo. Se bajó del coche y caminó, como si estuviera en trance, hacia la entrada—. Sí estoy segura: es aquí.

La música. Eso fue lo que le resultó familiar. La música de un carrusel que se escondía por ahí cerca, en alguna parte.

El detective la siguió y se mantuvo unos metros detrás de ella. Observándolo todo. Y también observando a Álex, que caminaba por el lugar como si lo conociera. Como si supiera, exactamente, a dónde dirigirse.

Álex avanzaba entre los árboles siguiendo la música que todos escuchaban, pero que a ella le atraía como si de un hechizo se tratase.

Devin la seguía de cerca.

Él no creía en pálpitos ni en intuiciones, pero algo lo inquietó. No estaba seguro si la actitud de Carter lo había puesto nervioso o si todas las patrañas que dijo lograron sugestionarlo. Pero estaba intranquilo. Casi sin darse cuenta, el detective acercó la mano a su arma y avanzó despacio detrás de su compañera.

Entonces, en un claro en medio del parque, como un faro que lo iluminaba todo, apareció el carrusel. Era el mismo que Álex había mentalizado en la habitación de Michael Long. Pero Devin eso no lo sabía. No podía saberlo.

Lo que sí notó Devin fue que alrededor del carrusel el piso estaba cubierto de caucho. Del mismo caucho que Jessica les había mostrado.

—¿Cómo demonios lo hace? —se preguntó Devin en voz baja. Y se dispuso a llamar al jefe después de soltar una maldición.

Álex supo que debía recorrer el lugar. Algo le decía que la clave no era el carrusel. El carrusel los había llevado hasta allí, sí, pero debían ir más allá. Debían buscar otra cosa.

A Michael Long no se lo llevaron de allí. No. Lo habían secuestrado cuando volvía a su casa, por eso nadie pensó en revisar los parques.

Pero Álex sabía, con la misma certeza con la que sabía su nombre, que quien quiera que se lo hubiese llevado al niño lo habría visto en aquel parque. Que allí lo había encontrado. Que allí había visto el miedo en Michael, el mismo que ella sintió al tocar el cuerpo. Y que desde allí lo había seguido antes de secuestrarlo.

Y si era así, era muy posible que el asesino estuviera acechando, entre aquellos árboles, a su nueva presa.

—No lo sé, jefe —dijo Walsh, que hablaba por teléfono con Bennet—, no sé cómo lo supo. Pero este es el lugar. Estoy seguro. Michael Long estuvo aquí. Tenemos que cotejar el material con el hallado por Ortiz, pero me juego el puesto a que coincidirá.

Con la mirada, Devin buscaba a Álex. Pero no la veía. Ella había seguido camino hacia la parte trasera del parque, hacia la zona que se abría detrás del carrusel, y desde donde él se encontraba no podía verla.

—Todd. —El detective volvió a concentrarse en su llamada—. Todd, escucha. Este lugar está repleto de niños, es perfecto para vigilarlos. Si el homicida los elige aquí, volverá. Te lo aseguro.

Devin volvió a mirar en los alrededores. Álex aún no aparecía.

—Hay árboles por todos lados. No, una cámara no servirá. —Devin hablaba con firmeza en la voz—. Sí, eso es. Vigilancia las veinticuatro horas. Estamos de acuerdo. Esperaré aquí hasta que lleguen y organizaré todo. Muy bien. Adiós.

Walsh cortó la llamada, se guardó el móvil en el bolsillo trasero de su pantalón tejano y caminó, con la mano apoyada sobre el arma que llevaba en la cintura, hacia el lugar en donde vio a Carter por última vez.

Alexis descubrió, en el predio que había detrás del carrusel, otra zona de juegos llena de columpios, toboganes y argollas de las cuales colgarse. Había incluso un arenero y una pared de escalada. En fin. El sitio era un edén en miniatura. Un paraíso infantil.

El lugar rebosaba de críos que gritaban, corrían y saltaban. Que se empujaban mientras se reían…

Ninguno se fijaba en el hombre alto y fornido que los

observaba medio oculto detrás de unos arbustos.

Pero Álex sí lo vio: llevaba un overol azul y sostenía un rastrillo con la mano derecha.

En el preciso instante en que Álex vio al sujeto, Devin se paró a su lado.

—¿Qué sucede? —le preguntó y miró hacia el punto en que miraba Álex.

—Hay un sujeto allí —dijo ella haciendo un gesto con el mentón, pero sin señalar—. No me gusta.

—¿Te refieres al jardinero?

—Así es, lleva un rastrillo en la mano, pero no lo mueve. No tiene bolsas, ni una carretilla. ¿Qué hace allí? ¿Por qué mira fijamente a los niños?

—Preguntémosle —dice Walsh con firmeza.

—¡Señor! —gritó Álex dirigiéndose al supuesto jardinero —. ¿Podemos hablar con usted?

El sujeto no era muy propenso al diálogo, porque en el instante en que Álex le habló soltó el rastrillo, que cayó al suelo, y salió corriendo como un rayo hacia la zona boscosa que se extendía al sur del parque.

—¡Deténgase! —gritó Walsh y, en un segundo, salió corriendo detrás del hombre—¡Alto! ¡Policía!

El sujeto corría rápido, pero Devin tenía un estado físico excelente y dos piernas muy largas, así que no le costó demasiado trabajo alcanzarlo.

Cuando estuvo lo suficientemente cerca del sujeto, se abalanzó sobre él y juntos rodaron en la hierba. A Walsh le costó inmovilizarlo. El sujeto era grande y fuerte. Pero Devin era más ágil. Cuando el hombre quedó bocabajo, se sentó sobre él y le sujetó las manos en la espalda. Luego lo esposó.

—¡Eh! —dijo el hombre al fin—. No me haga daño. ¡Por favor, no me haga daño!

—No le haré daño —dijo Walsh mientras seguía force-jeando con el sujeto, que, incluso arrestado, pretendía escapar.

—¿Arrestado por qué? ¡Si yo no he hecho nada!

—¿Y por qué demonios salió corriendo? —preguntó Álex, que acababa de alcanzarlos—. ¡Yo solo quería hablar con usted, señor! No es la primera vez que alguien se aleja cuando intento hablarle, pero definitivamente nunca…

—Detente, Carter —dijo Walsh, que continuaba sentado sobre el sujeto y a la vez intentaba recuperar el aliento—. Estoy haciendo un arresto aquí, por si no lo has notado.

—Lo he notado. —Álex se sonrojó y asintió—. Perdona. Adelante. Haz lo tuyo.

—Y usted, señor… —continuó Devin.

—Morgan —dijo Álex—. Calvin Morgan.

—¿Y tú cómo cuernos sabes eso? —preguntó Devin casi fuera de sí—. ¿Acaso has tenido una visión de su maldita licencia de conducir?

—No. Nada de eso. He visto el gafete que lleva colgado en su overol —dijo Álex y señaló el lugar donde el hombre, efec-tivamente, llevaba su nombre escrito—. Aunque sea empática, todavía puedo ver con los ojos. Parece que tú no puedes decir lo mismo. ¿No es así?

El detective sacudió su cabeza, como intentando sacarse de encima todo lo que ella había dicho. No estaba como para bromas tontas.

—Y usted, señor Morgan —dijo y miró al jardinero—, queda bajo arresto por desafío a la autoridad.

7

Un grupo importante de policías, reporteros y curiosos se congregó en los alrededores del parque.

Pero Álex no comprendía por qué. ¿Qué podía ser tan importante para atraer a tanta gente? Al fin y al cabo, habían hecho un arresto tonto. Al señor Morgan lo habían apresado, sí. Pero por resistencia a la autoridad, nada más.

Por homicidio, no.

El sujeto había intentado evadir las preguntas de la policía. Pero eso no lo convertía en asesino, ¿o sí?

Walsh llevó a Morgan hasta un vehículo para que fuera trasladado a la estación de Policía y luego volvió hacia la zona del carrusel para buscar a Álex.

—No sé cómo demonios lo haces —dijo él cuando se acercó—, pero es obvio que ves cosas donde otros no podemos.

—No estoy tan segura de ver. Mucho menos de entender, ¿sabes? —dijo Álex mirando a Walsh a los ojos—. No entiendo qué es este despliegue. ¿Toda esta gente piensa que Morgan es el Homicida de Niños?

—No lo sé. Lo que sí sé es que toda esta gente «espera» que lo sea —dijo Walsh—. Mira sus caras, Álex. Mira a aquella mujer, por ejemplo, mira cómo apoya la mano en el hombro de la niña que la acompaña. Esta gente quiere volver a dormir en la noche. Y tal vez esto los ayude a que concilien el sueño otra vez.

—¿Quién avisó a los medios? —preguntó Álex mientras observaba a la mujer que le señaló Devin.

—No lo sé —dijo el detective y, mirando a la gente que se congregaba alrededor de ellos, hizo un gesto con la mano que los abarcaba a todos—. Hay personas por todos lados, Álex. Pudo ser cualquiera de ellos.

«Y cualquiera de ellos puede ser el asesino», pensó Álex.

Pero no dijo nada.

Convencida de que algo no cerraba, siguió a Devin hasta el automóvil en el que habían llegado.

Su empatía no tenía nada que ver con su fastidio. Era su sentido común el que la alertaba mientras, por calles desiertas, Walsh conducía en silencio.

Había resultado muy fácil. «Demasiado» fácil.

Y el Homicida de Niños era todo, menos fácil. Un sujeto que lavaba a los niños, que los limpiaba casi al punto de la desinfección, que les quitaba los ojos con precisión de cirujano, no sería tan estúpido para dejarse atrapar de un modo tan tonto.

Ni habría salido corriendo cuando dos policías lo llamaban.

No.

Habría intentado seducirlos de alguna manera, confundirlos, hacer que fueran en otra dirección…

Algo no estaba bien.

Pero ahora la prensa sabía que habían atrapado a alguien. Y ahora los presionarían más que nunca.

Álex supo que los problemas recién empezaban. Y que las cosas se pondrían mucho, mucho más oscuras antes de mejorar.

Si es que lo hacían, claro.

8

DEVIN, parado detrás del vidrio desde donde podía verse la sala de interrogatorios, observaba muy serio a Calvin Morgan.

El sujeto, usando aún el overol azul y con las manos esposadas, esperaba sentado en una silla incómoda a que alguien fuera a hablar con él.

Pero Walsh había decidido que lo haría esperar. Quería estudiarlo primero. Saber cómo se movía, si parecía nervioso, si se mordía las uñas. Algo.

Algo que le confirmara su sospecha de que ese sujeto era el maldito Homicida de Niños.

Para pensarlo no tenía más que una corazonada. Pero él no creía en corazonadas: solo creía en la lógica fría de los hechos y en la certeza irrefutable de las pruebas. Pero el presentimiento estaba ahí. No lo admitiría ante nadie, pero estaba ahí.

Y por eso, cruzado de brazos, observaba. Para que su certeza se apoyara en algo más que en su intuición.

Walsh se jactaba de poder leer los gestos en el rostro de la gente. E intentaba descifrar algo que Álex, parada junto a él, no lograba ver.

Ella solo veía a un sujeto asustado que parecía no saber por qué había sido arrestado. Un sujeto de mediana edad, algo calvo y barrigón, que constantemente se frotaba la nariz. Nada en aquel hombre coincidía con el perfil del asesino en serie que Álex había hecho en su mente: un sujeto frío y calculador. De emociones controladas. Y no ese manojo de nervios que en la sala de interrogatorios, al borde del colapso, empezó a llorar como un niño.

—Walsh —dijo Álex—, debes estar bromeando, este sujeto no es... No puede ser el homicida.

—¿Por qué no?

—¡Porque no! ¡Míralo, por Dios santo!

—Lo estoy mirando desde que me lo señalaste en el parque, Carter —dijo Devin sin dejar, ni por un segundo, de observar a Calvin Morgan—. Observa sus manos, son fuertes. Manos de trabajo. Manos que podrían matar a un niño en un instante.

—¡No puedes hablar en serio, maldita sea! El homicida no estranguló a sus víctimas. Tampoco las mató de un golpe. Las manos le tiemblan como si sufriera de párkinson. ¡No hay modo de que realizara los cortes que mataron a los niños! Mucho menos de que les sacara los ojos. ¡Para eso el asesino tuvo que poseer precisión quirúrgica, Devin!

—No importa lo que digas Carter, es él —dijo Walsh y señaló a Morgan—. Estoy seguro.

—¿Cómo puedes estar tan seguro, Devin? —Álex estaba preocupada. Su compañero tenía tanto miedo de fallar que estaba a punto de hacerlo. Morgan no podía ser el homicida. De ningún modo.

—Porque llevo demasiado en este empleo como para saberlo. Lo sé. Eso es todo.

—¿Ahora crees en pálpitos, detective?

Álex sonrió, pero Walsh no.

Se limitó a reprimir un insulto y después entró a la sala de interrogatorios.

~

—¿Qué hacías en el parque? —preguntó Devin sentado frente a Calvin Morgan. Una mesa separaba a los dos hombres—. ¿Acaso te gusta observar a los niños?

Morgan esbozó una sonrisa y asintió.

—Me… me gusta verlos jugar. Me hacen reír.

Álex de pie, detrás de su compañero, escuchaba y observaba todo con la espalda tensa, apoyada en la pared. Nunca había participado en un interrogatorio policial, y no lo disfrutaba en absoluto.

Walsh se movía como pez en el agua en aquel lugar, pero ella no. A pesar de que estaba habituada a conversar con la gente, siempre lo había hecho en otro contexto. Ella lograba que sus pacientes dijeran lo que estaba escondido en sus pensamientos más profundos a fuerza de hablar con ellos. De seguirlos en sus derroteros mentales. En sus divagaciones.

La técnica de Walsh era mucho más agresiva. Más directa. Y, tal vez, más efectiva la mayoría de las veces. Pero no ahora. No con ese sujeto.

Su compañero forzaba las preguntas. Utilizando trucos, golpes bajos y amenazas, Walsh intentaba que Morgan respondiera. Pero el discurso violento no funcionaría con el jardinero. El método del detective solo lograba asustarlo, y por eso hasta entonces el sujeto no había explicado por qué corrió cuando ella quiso hablarle.

—Así que te gusta verlos… —Devin se puso de pie y se ubicó junto a Morgan, marcando una posición de poder—.

70

¿También te gusta matarlos, hijo de puta? Dime, ¿lo disfrutaste?

El sujeto miraba el piso y encogía sus hombros. Todo en su lenguaje corporal indicaba que tenía miedo. Que el detective lo amedrentaba.

Si Walsh seguía por ese camino no lograría nada. Y Álex lo sabía. Por eso se acercó al detective y le tocó el brazo.

Sorprendido por la suavidad del gesto de su compañera, gesto que contrastaba con la agresividad con que él llevaba adelante el interrogatorio, dejó de hablar y se dio vuelta para mirar a Álex a los ojos.

Ella, con un gesto, le indicó que salieran y abandonó la sala.

—¿Qué sucede? —preguntó Walsh una vez que los dos estuvieron en el pasillo.

—No vas a lograr nada presionando así.

—¿Vas a enseñarme a hacer un interrogatorio, Carter? —Devin estaba furioso—. ¿Cuántos has hecho tú? ¡Dime!

—No voy a enseñarte nada. Y sabes que este es mi primer interrogatorio. Así que ya puedes ir dejando al imbécil en el que te estás convirtiendo a un lado.

—¿Y entonces? —Devin moderó su tono.

—Como terapeuta, reconozco a una persona con problemas mentales cuando la veo. Y Morgan no está bien, Walsh. Si sigues presionando, lo quebrarás. Y no dirá nada. No hablará.

—¿Y qué sugieres? ¿Qué le cante una canción de cuna y lo arrope para que no se asuste?

—Deja que yo lo interrogue. Tengo experiencia con…

—Ni hablar.

—Walsh. —Un oficial se asomó por la puerta que llevaba a los despachos—. Te busca el jefe, dice que vayas a su oficina en este instante. Y que vayas con Carter.

71

9

El jefe se estaba apresurando. Álex se lo dijo, pero él no quiso escucharla.

Todd Bennet sostuvo que el arresto que habían hecho era importante. Y no dejó que Álex le explicara que no podían saber si era importante o no, porque el sujeto se negaba a hablar.

—¡El sujeto tiene problemas mentales, jefe! Y no tenemos nada, nada para inculparlo. Estaba en el parque, sí. Como cientos de personas a diario. ¿Los arrestamos a todos?

—El tal Morgan quiso escapar, Carter —dijo el jefe sin darle importancia al tono con el que le habló ella—. Y como están las cosas, eso es suficiente para mí. Anunciaremos a la prensa que hemos hecho un arresto importante.

—Es una locura. —Ella no podía entender por qué el jefe insistía con el maldito anuncio. ¿Cuál era la prisa?

Pero como Bennet no la escuchaba, pidió apoyo a su compañero con una mirada de súplica.

—Creo que puede ser apresurado, Todd —dijo Devin al fin, pero sin mucha convicción.

—Tonterías, vamos a hacerlo. La prensa espera. Y los quiero a los dos a mi lado —les dijo mientras se ponía la chaqueta y se ajustaba el nudo de la corbata—. Después de todo, el arresto lo hicieron ustedes.

~

La conferencia de prensa fue una mala idea por muchas razones.

La primera y principal fue que nadie podía responder con certeza a los reporteros porque, sencillamente, todavía no sabían quién demonios era Morgan.

El jefe se presentó ante los medios con un gesto adusto pero calmado, con la convicción de que era un policía capaz, proyectando la imagen de un hombre fuerte. De un hombre en el que todos los ciudadanos de Topeka podían confiar.

Pero esa seguridad que sentía comenzó a resquebrarse en el mismo instante en que empezaron las preguntas.

Entonces, para sostener su fachada y apoyar la convicción de Walsh sobre haber atrapado al Homicida de Niños, Bennet confirmó que el arresto tenía relación con el caso.

Y aunque pronto descubrirían que declarar aquello fue un gran, gran error, en aquel momento todos ignoraban que habían desatado a la fiera.

Álex no podía creer lo que escuchaba. ¿Acaso estaban locos? Porque ella estaba segura de que no eran idiotas.

Decir aquello podía confundir a la opinión pública y mandaría un mensaje equivocado.

¿A nadie se le ocurrió que si la gente creía que la pesadilla había terminado dejarían de proteger a los niños?

Porque nadie dijo que habían atrapado al asesino, pero tampoco lo contrario.

¿Nadie pensó ni por un momento que si Calvin Morgan

no era el homicida le estarían dando vía libre al verdadero asesino para matar otra vez?

¿Nadie dudaba en aquel maldito lugar?

Debían estar locos o ser idiotas. Sí. No había otra alternativa.

Bueno, en realidad sí la había: podían estar involucrados.

Pero Álex descartó aquella idea de inmediato. Y se negó a siquiera evaluar la posibilidad de que alguno de los hombres con los que trabajaba todos los días codo a codo pudiera ser el monstruo que mutilaba a los niños.

No. Ella debía mantenerse objetiva. Y confiar en su método.

Era el único modo de llegar a la verdad.

Apenas terminó la conferencia, Álex le pidió al jefe que la dejara interrogar a Morgan.

—Ahora que la prensa sabe que lo tenemos —le dijo a Bennet— es preciso que lo hagamos hablar. Walsh no logró nada. Déjeme probar a mí, jefe. Para algo estudié psicología. Creo poder llegar a él y lograr que nos diga algo.

Era verdad, necesitaban que el jardinero hablara. Así que, a regañadientes y después de un rato de escuchar los ruegos de Álex, el jefe aceptó.

De vuelta en la sala de interrogatorios, Álex tomó el mando mientras Devin esperaba afuera.

Se sentó frente a Morgan y le dejó, sobre la mesa que los separaba, una Coca-Cola.

—Debes tener sed, ¿no? —dijo Álex y esperó a ver la reacción del hombre—. Aquí hace calor. ¿Tienes calor? Porque yo sí.

Morgan no respondió, pero levantó la vista, miró la Coca y algo en su postura se relajó

—¿Te gusta la Coca-Cola o prefieres otra cosa? —preguntó Álex.

—Me gusta mucho. Es mi refresco favorito —dijo Morgan, que al fin, y con dificultad a causa de las esposas, había tomado la lata de refresco con sus dos manos—. Está fría.

—Es que acabo de sacarla de la máquina.

Morgan bebió en silencio pero con avidez. Entonces se le cayó la lata y comenzó a chillar como un crío.

—Tranquilo —dijo Álex y se levantó—. Tranquilo, iré a buscar otra.

Cuando salió para conseguir un nuevo refresco se encontró con Walsh, que seguía esperando afuera.

—¿Crees que vas a conseguir una confesión con sonrisitas y bebidas de cola? —preguntó él.

Devin estaba molesto, pero Álex no llegaba a entender por qué. Al fin de cuentas, él no había conseguido nada. ¿Qué perdía dejándola intentar?

Su reputación, probablemente. Pero eso a ella no le importaba mucho. En aquellos momentos había cosas más importantes, y mucho más urgentes, que un macho con el orgullo herido.

—No —dijo ella mientras buscaba un dólar en su bolsillo y caminaba, decidida, sin entrar en el juego de su compañero.

—¿Y entonces? —Él la siguió de cerca y se paró junto a la máquina mientras Álex pulsaba el botón para conseguir una nueva lata.

—Por ahora lo único que busco es que no me tema —dijo ella. Después tomó el refresco y volvió sobre sus pasos,

75

dándole la espalda a su compañero—. Y nunca firmará una confesión, Devin. Este no es nuestro hombre, ya te lo he dicho. Y te lo repito ahora.

—Yo creo que sí lo es.

—Ya veremos —dijo Álex, que ya estaba otra vez frente a la puerta de la sala de interrogatorios—. Le daré su refresco y luego veré si logro que confíe en mí.

Devin supo que discutir no tenía ningún sentido. Así que se limitó a asentir y, muy serio, se alejó.

10

DURANTE EL RESTO DEL DÍA, Álex intentó ganarse la confianza de Morgan. Y si bien en un punto la consiguió, no logró que el hombre hablara acerca de los crímenes. El sujeto algo sabía, Álex lo tenía claro, pero sospechaba que Morgan era un testigo. Que había visto algo. O a alguien.

Pero eso de ningún modo lo acusaba ni lo inculpaba. Ella seguía creyendo que ese sujeto no podía ser el asesino. Nada en su personalidad coincidía con el perfil que había trazado.

Si Álex lograba que Morgan dijera lo que fuera que supiese, la policía estaría más cerca de atrapar al Homicida de Niños.

Pero si no lo hacía, si Morgan se mantenía en sus trece, habrían perdido un día entero de investigación tratando, en vano, de hacer hablar a un sujeto que tenía el coeficiente intelectual de un niño de diez años. Y que pintaba más como víctima potencial que como asesino en serie.

Álex había logrado que Morgan se comunicara con ella y que le contara sobre su trabajo en el parque.

Decía que le gustaba estar al aire libre y ver jugar a los niños. Incluso, algunas veces, los niños lo invitaban a jugar fútbol.

—¿Juegas mucho con ellos? —Álex se había quitado la chaqueta. Llevaba las mangas de la camisa arremangadas y el pelo recogido en un rodete. Las horas que llevaba en aquella sala de interrogatorios comenzaban a pesarle, y el agotamiento se notaba en su postura y en los círculos morados que habían aparecido alrededor de sus ojos claros.

—No, no juego mucho. Solo cuando me invitan. Y casi siempre para que ataje el balón. Como soy grande, puedo cubrir bien la portería. —Morgan encogió los hombros.

—Y cuando lo haces, cuando juegas, digo… ¿Los adultos se molestan?

—No lo sé. —Morgan se rascó la barbilla—. No me lo han dicho.

—¿Alguna vez viste a alguien molestando a los niños, Calvin? ¿A algún otro adulto que, como tú, juega con ellos?

Y cuando Álex preguntaba aquello o algo similar, Morgan desviaba la mirada. O la clavaba en el suelo. Volvía a encoger los hombros y callaba. O pedía otro refresco. O comenzaba a llorar.

Pero nunca respondía.

Y así seguía la conversación: dando vueltas y más vueltas sobre lo mismo sin llegar a ninguna parte.

—Tengo hambre —dijo Morgan cuando la hora de cenar hacía tiempo que había pasado—. ¿Van a darme de comer aquí o no?

Fue entonces que Álex decidió ponerle fin, por aquel día, al interrogatorio.

Después de prometerle a Calvin Morgan que haría que

alguien le diese su cena, dejó la sala y fue a reunirse con Walsh, que la esperaba en el cuarto contiguo desde donde observó todo.

—Sabe algo —dijo Álex apenas entró. Luego cerró la puerta—. Pero hoy no nos dirá nada más.

—Nichols —dijo Walsh dirigiéndose a un oficial de Policía que estaba con ellos—. Haz que lleven a Morgan a su celda. Que le den de cenar y no lo dejen a oscuras durante la noche. Mañana continuaremos con esto.

Entonces se puso de pie y tomó su chaqueta.

—Tengo hambre y necesito aire fresco —dijo y abrió la puerta—. Larguémonos de aquí.

Álex asintió, se soltó el pelo, tomó su bolso y acompañó a Devin fuera de la estación de Policía.

11

CARTER Y WALSH fueron andando juntos hasta un bar que estaba a dos calles de la estación de Policía.

Entraron y se acomodaron en una mesa tranquila al fondo del local.

—Aquí sirven las mejores hamburguesas de Topeka —dijo Walsh, que se quitó la chaqueta y la colgó del respaldo de la silla—. Créeme, después de probar estas no querrás probar otras en tu vida.

—Me conformo con que la cerveza esté fría. —Álex cerró los ojos y giró la cabeza mientras se masajeaba el cuello—. Estoy exhausta. Tanto que hasta me da pereza comer.

—Debes comer —dijo él y le hizo señas a una camarera —. Te has pasado la tarde intentando hacer hablar a una piedra y debes reponer energía.

Álex, a su pesar, sonrió.

Una camarera se acercó y Devin le pidió hamburguesas con queso, papas y cerveza fría para los dos.

En el local sonaba una música suave que desentonaba por completo con el ánimo de Álex y Devin.

—¿Llegaste a alguna conclusión? —preguntó él justo cuando les trajeron el pedido.

—Morgan sabe algo. —Álex tomó un largo trago de cerveza—. Pero no es nuestro hombre. Y estamos perdiendo tiempo.

—Convénceme de que estoy equivocado. De que debemos seguir buscando.

—Eres tú el que debe convencerme de que estás en lo cierto, Walsh —dijo Álex y probó sus papas. Luego les agregó sal—. Mira, lo único que tenemos aquí son víctimas. Y para descubrir quién las mató debemos ir hacia atrás, ¿correcto?

—Es el método clásico, sí.

—Bien, para ir hacia atrás tenemos que averiguar qué nos dicen los cuerpos.

—Hasta ahora nos han dicho que no hubo motivo sexual —comentó el detective.

—No —dijo Álex—, nos han dicho que no hubo abuso sexual. Pero sí pudo haber gratificación sexual por parte del asesino. No es lo mismo. No sabemos si el bastardo se excitó al matarlos. O al mutilarlos. Lo único que sabemos es que los niños no fueron sodomizados, pero nada más.

—No hallamos semen en ninguna parte.

—Tampoco sangre, los cadáveres fueron lavados y los niños no murieron en los lugares en donde aparecieron los cuerpos. Pudo haber gratificación sexual. Puede que el asesino sea un pervertido que se excita con la muerte. Tal vez obligó a los niños a mirarlo cuando se masturbaba y por eso les quitó los ojos. No lo sé. Pero no creo que debamos descartar nada. Las posibilidades son muchas. Y pocas las certezas en este punto.

—Tú me dijiste que el motivo parecía religioso —dijo Devin y le hizo señas a la camarera para que les trajera más cervezas.

81

—Yo dije que el hecho de que hubieran lavado el cabello de Michael Long y sacado los ojos de los niños podía interpretarse como un ritual, que podía haber motivos religiosos. Arrepentimiento incluso. Pero nunca descarté un motivo sexual. Lo que sí sé, Devin, es que nuestro hombre tiene sangre fría. Que se ha tomado su tiempo para que las víctimas queden exactamente como él deseaba que queden. Todos en la misma posición, todos mirando al cielo. Intenta darnos un mensaje, ¿no lo ves?

—Bien, sabemos que el homicida es un hombre fuerte y que tiene experiencia trabajando con animales. Que es meticuloso, que tiene sangre fría, que sabe lo que busca y que intenta decir algo.

—Dime, pero piénsalo bien —dijo Álex y miró fijamente a su compañero—, el hombre que estás describiendo, ¿es Calvin Morgan?

—No lo es. —Devin sacudió la cabeza, como negando, y se restregó la frente—. Soy un idiota.

Álex sonrió.

—Morgan oculta algo, no lo dudes. Y necesitamos saber qué es.

—Bennet va a cortarme las pelotas, Carter. Cuando se entere de que Calvin Morgan no es nuestro hombre se va a liar una buena.

—No debería molestarse, yo le advertí que no hiciera el anuncio. Pero no quiso escucharme. En todo caso, la noticia apresurada pesa sobre sus hombros, no sobre los tuyos —dijo Álex con decisión.

—Debí respaldarte.

—Tal vez, pero no fuiste tú quien tomó la decisión de hablar con la prensa. Ya olvídalo, ¿quieres? Y tienes razón, estas hamburguesas son excepcionales.

Álex sonrió y apoyó su espalda en el respaldo de la silla. Tomó su cerveza y, despacio, bebió lo que le quedaba. Devin no podía quitarle los ojos de encima. Su compañera, sin duda, era bonita. Estaba loca como una cabra, sí, pero era bonita.

Y, sin embargo, no era eso lo que le atraía y, en un punto, lo calmaba.

La chica sabía escuchar y tenía un poder de observación que él no había visto en nadie más.

A Álex le importaba su trabajo, le importaban las víctimas. Y eso, en un mundo como el suyo, podía hacer toda la diferencia.

Por eso no lograba dejar de pensar en ella. Por eso no conseguía dejar de mirarla. Y por eso, justamente, debía poner fin a la cena en ese mismo instante.

Así que hizo una seña a la camarera para que les cobrara. Álex sacó dinero de su bolso, pero Devin no le permitió pagar la cuenta.

—No tienes por qué hacerlo —dijo Álex, que de todos modos intentó pagar su parte.

—Esta vez invito yo —dijo él con seriedad—, es mi forma de disculparme por no haber mandado al jefe de paseo con el asunto de la rueda de prensa.

Ella asintió y dejó que el detective se saliera con la suya.

Juntos salieron del bar y caminaron de vuelta hacia la estación de Policía, donde ambos habían dejado aparcados sus automóviles.

—Lo que no entiendo —dijo Álex cuando estaban a punto de llegar— es por qué el jefe se apresuró a hacer el anuncio. No está loco y no es idiota. ¿O sí?

—Bennet quiere ser alcalde —dijo Devin y se detuvo junto al automóvil de su compañera—. Si resolvemos el caso, lo logrará. Si no…

—Ojalá que su deseo no haya puesto a nadie en peligro.

Walsh asintió, pero no dijo nada.

—Mañana descubriremos qué demonios oculta Morgan —dijo Álex y se subió a su coche—. Y entonces sabremos cómo continuar con esto.

Devin dio un paso atrás cuando su compañera encendió el motor para luego alejarse por la calle desierta.

—Espero que mañana no sea demasiado tarde —dijo él un segundo antes de verla desaparecer en la noche de Topeka.

12

La ciudad duerme silenciosa mientras ella camina por las calles desiertas.

Algo acecha en alguna parte. Algo poderoso. Escurridizo.

Y maligno.

En algún sitio un objeto metálico golpea el suelo. Y a ella se le crispan las manos, se le tensa la espalda.

Lo que acecha respira.

Se esconde.

Espera.

Ella espía los escaparates. Sabe que si mira bien verá al depredador en un reflejo. Es astuto. Pero ella también.

Solo es cuestión de mirar.

Y de esperar. Ella también debe esperar.

Un reflejo dorado se cuela en un cristal. Un reflejo que logra camuflarse entre un montón de otros reflejos. El de las luces de todos los automóviles que ahora han tomado las calles y que, tan rápido como aparecieron, desaparecen.

Entonces la calle se llena de gente.

Y el rugido se hace oír. No son autos.

Es la bestia.

El león está por allí, en alguna parte. Escondiéndose en la noche, en las sombras.

Rondando.

Esperando.

Pero ella sabe que no queda mucho tiempo. Que el león pronto atacará. Que sola no podrá pararlo. Que él es veloz y poderoso.

Y que tiene que matar.

—¡Viene el león! —grita el jefe Bennet.

Y después ríe.

Ella intenta decirle que se calle. Que se esconda. Pero no puede hablar. De su boca no salen palabras, solo sonidos guturales. Ininteligibles.

Entonces todos corren. Intentan escapar. Pero ella no puede. Sus piernas parecen de goma. Y no la sostienen.

El león aprovecha el caos para, al fin, mostrarse en todo su esplendor.

Es enorme. Y letal.

Ella quiere correr. Salvarlos. Salvarse. Pero todo sucede en cámara lenta. Y no puede. Y se deja caer. Y siente que cae. Que cae. Y cae. Y nunca termina de caer.

Tiene miedo.

Y él lo sabe.

El león se abalanza. Ruge furioso. No toca el suelo. Sigue en un salto imposible, interminable, infinito.

Ella siente el aliento de la bestia, caliente y fétido, cerca de la cara.

El animal huele a cosas sucias. A encierro. A muerte.

En sus ojos amarillos encierra un abismo. Y en sus garras guarda sangre vieja. Y sangre nueva también.

Bennet continúa con su loca advertencia: viene el león, viene el león. Mientras que un grupo de marionetas vestidas de reporteros ríen a carcajadas al acercar los micrófonos a la boca del jefe Bennet, que ahora es alcalde y lleva una banda roja cruzada sobre el pecho.

—Debí respaldarte —dice Walsh, que aparece de pronto y que, en un instante, se desvanece como un espejismo.

Ella, por fin, toca el suelo. Y entonces esconde su cabeza entre sus brazos. Espera la mordida. El zarpazo. El dolor. El infinito dolor.

Pero el dolor no llega.

Alguien grita: es una niña.

Y entonces ella se atreve a mirar. A buscar.

Bennet sigue riendo, y la banda que tiene sobre su pecho se transforma en sangre que lo cubre todo.

Ella ve a la bestia que respira agitada mientras rodea a una niña morena. La acorrala.

Puede ver el terror en los ojos de la pequeña. Quiere ayudarla. Pero no sabe cómo. El león está ahí, casi al alcance de su mano, pero no puede tocarlo. Y aunque pudiera, está sola.

Y entonces el león ruge, pero ella cree que ríe.

No, ella «sabe» que ríe.

Y después, en un segundo, el animal ataca y cierra sus fauces alrededor del cuello de la niña, que ya no grita.

Que ya no grita más.

Solo se escucha un timbre.

Una alarma lejana que la llama.

Que, insistente, le ordena que se despierte.

ÁLEX ABRIÓ LOS OJOS.

Por la luz que se filtraba por la ventana, notó que estaba a punto de amanecer.

La habitación lucía teñida de un extraño y frío color azul. Era a causa del móvil que sonaba sin parar y que vibraba desquiciado sobre la mesa de noche.

Álex observó la pantalla y leyó en ella el nombre de su compañero.

No deseaba atender. Quería seguir durmiendo. Hacer de

cuenta que aquella llamada no había ocurrido. Que seguía soñando.

Pero debía contestar. Contestar y hacer frente a lo que su compañero le diría.

Álex supo que aquella pesadilla no había sido tal. Que había pasado otra vez.

Ella conocía las sensaciones cuando aquello ocurría. Y en el último tiempo, había ocurrido mucho más a menudo.

Se sentó en la cama, encendió la luz y contestó.

—Dime —dijo ella mientras se levantaba y caminaba hacia el baño.

—Pasó otra vez: ha desaparecido una niña. —Devin sonaba frío, profesional. Pero Álex supo, como sabía tantas cosas, que estaba deshecho.

—¿Se trata del Homicida de Niños?

—Creemos que sí.

—¿Dónde estás? —le preguntó ella. Su preocupación tenía más que ver con el estado de ánimo de su compañero que con el caso. Eso no le gustó nada. Debía concentrarse en el caso, en nada más. Pero tampoco podía evitar lo que sentía.

—En la estación. No llegué a irme, el reporte de la niña perdida llegó justo después de que te fuiste. Así que me quedé.

—Bien —dijo ella mientras esparcía sobre su cepillo de dientes la crema dental de menta—, en media hora estoy ahí.

—Apresúrate, Álex —pidió Devin justo antes de colgar—, porque esto se va a poner feo.

—Lo sé. Créeme que lo sé.

13

CUANDO ÁLEX LLEGÓ a la estación de Policía se encontró con Jessica Ortiz en la puerta. La forense subía las escaleras de la entrada mientras hablaba con alguien por el móvil. —No, no tenemos otras pistas —dijo y saludó a Álex con un gesto—. Nada. Escuche, estoy entrando al edificio, jefe. Si me espera unos minutos podemos repasar todo otra vez. Sí. Entiendo. No. No la llame. Le digo que no hace falta. En este momento Carter está entrando conmigo.

Cuando cortó la comunicación, Jessica guardó el móvil en su bolso y miró a Álex.

—Nos quieren ver arriba —dijo y esperó a que Álex la alcance.

—¿Encontraron algo? —A Álex le preocupó que Jessica estuviera ahí. Por el momento solo se trataba de una desaparición, y hasta donde le habían informado, la niña —cuyo nombre aún ignoraba— no había aparecido ni viva ni muerta. Es decir, que Jessica no tenía nada que hacer por ahí a esas horas. Que la hubieran llamado era una mala señal.

—Nada —dijo Jessica, que abrió la puerta de vidrio de la estación y la mantuvo abierta para que Álex entrara primero.

—¿Y qué haces aquí entonces?

—El jefe me pidió que fuera a la morgue, que revisara todo otra vez. Hablé con Felipe, pero no encontramos nada. Ni una maldita cosa.

Juntas se acercaron al elevador y Jessica apretó la tecla de llamada. La puerta se abrió de inmediato y entraron juntas.

—El jefe quiere ponernos al tanto de la situación.

—Sí —dijo Álex y pulsó el botón del tercer piso en el tablero—. Escuché que hablabas con él.

—Estoy asustada, Carter —dijo Jessica de pronto y giró su cabeza para mirarla a los ojos—. ¿Y si omití algo? ¿Y si me equivoqué?

—Jessica, Jess... —Álex le apoyó una mano en el brazo. La joven analista forense hizo un esfuerzo para no estallar en lágrimas.

—Tengo miedo de que esa niña muera porque yo no supe hacer mi maldito trabajo.

—No —dijo Álex—. Ni siquiera lo pienses. Si esa niña muere, y esperemos que no pase, será por el hijo de puta que la mató. No por tu culpa. Ni por la mía.

—Sabes a lo que me refiero —dijo Jessica. Se le notaba muy angustiada. Le temblaban las manos y tenía los ojos húmedos.

—Lo sé. Mira, todos estamos asustados aquí. Y la presión se cuadriplica porque estamos hablando de niños. Pero no debes pensar que haces mal tu trabajo, Jess. Yo no tengo mucha experiencia en esto, pero Walsh sí. Y me ha dicho que confía en ti. Que eres la mejor analista que conoce. Estoy segura de que estás dejando tu corazón y tu mente en esto. Y que estás haciendo todo lo que está en tus manos.

—Pero lo que está en mis manos parece no ser suficiente. He revisado todo una y otra vez, Álex. Y no hay nada. ¡Nada!

—Debe haber algo. Tiene que haberlo. Estoy segura. Solo debemos saber dónde buscar.

Las puertas del elevador se abrieron y las dos mujeres, ya en el pasillo, se encontraron rodeadas por un enjambre de policías que iban y venían. Los teléfonos sonaban sin cesar. Y desde el fondo, donde estaba la oficina de Bennet, se escuchaban gritos.

En ese momento el jefe se asomó para verificar si las dos profesionales habían llegado.

—Ustedes —dijo, y las señaló—. Vengan ya.

Las mujeres se miraron y, algo asustadas, avanzaron por el pasillo. El jefe, que tenía cara de pocos amigos, mantuvo la puerta abierta hasta que ambas entraron en su oficina; luego la cerró.

¿Habría ocurrido algo?

Todd Bennet no parecía el mismo hombre que, el día anterior, había brindado una conferencia de prensa jactándose, apresuradamente, de haber hecho un avance en el caso.

¿Dónde estaba aquel sujeto prolijo, lleno de confianza, afable?

Se había esfumado con sus sueños de convertirse en alcalde. Si la niña aparecía muerta, lo que era probable teniendo en cuenta que las víctimas anteriores fueron asesinadas el mismo día en que las secuestraron, el jefe Bennet tendría suerte si lo enviaban a dirigir el tránsito.

¡Cómo había sido tan estúpido! Álex no podía entenderlo. Pero no dijo nada y se quedó de pie junto a la puerta.

Dentro, sentado en un sillón de cuero, el detective Walsh revisaba unos documentos.

A Álex no le hizo falta su empatía para saber que entre aquellos dos se había liado una gorda.

A eso se debieron los gritos que salieron del despacho cuando Jessica y ella salieron del elevador. Y a eso se debían, sin duda, el desgarrón en la camisa de su compañero y el vaso de vidrio roto, cuyos restos descansaban junto al escritorio del jefe.

—¿Qué rayos ocurrió aquí? —preguntó Jessica, que había notado lo mismo que Álex.

—Diferencia de criterios —dijo Walsh, que ni siquiera levantó la vista de los documentos cuando respondió.

—Diferencia de criterios y una mierda, Walsh. —El jefe continuaba furioso—. ¿Por qué rayos no me detuviste? ¿Cómo dejaste que dijera que habíamos hecho un avance importante en el caso?

—No seguiré con esto, Todd —dijo Walsh y se puso de pie—. ¿Quieres culparme a mí de tus errores? ¡Bien! ¡Hazlo, si eso te hace sentir mejor! Pero eso no va a traer a la niña de vuelta. Así que basta de chillar como un crío y de quejarte por lo que ya no tiene remedio. ¡Y déjame hacer mi maldito trabajo de una puta vez!

El jefe no dijo una palabra más mientras Walsh abandonaba la oficina detrás de un portazo.

Álex sintió el impulso de salir detrás de su compañero porque entendía muy bien la reacción de Devin. Pero el jefe le había pedido que entrara, así que decidió quedarse y ver qué deseaba.

Ya habría tiempo de hablar con Walsh más tarde.

Con una seña, el jefe invitó a Jessica y a Álex a sentarse. Les alcanzó unos documentos y luego se sirvió un trago.

—Sé que no debo beber en horas de trabajo, pero… —dijo y, con el vaso en la mano, se sentó detrás de su escritorio a esperar a que Carter y Ortiz leyeran el expediente que les entregó.

Luego les explicó la situación.

—El nombre de la niña es Sarah Morrison —dijo sin dirigirse a ninguna de las dos mientras bebía su trago y miraba el techo—. Tiene nueve años. Y desapareció ayer por la tarde en algún momento entre las cinco y las seis de la tarde.

—¿Qué sabemos, jefe? —preguntó Jessica.

—Sarah fue al parque del carrusel con su prima Jane.

—¿Desapareció en el mismo parque en el que desapareció Michael Long? —preguntó Álex sorprendida, casi enojada.

El jefe apretó la mandíbula antes de responder y luego miró la miró a ella.

—¿Vas a hacerme los mismos reproches que me hizo Walsh? Porque si es así, te ruego que te guardes los comentarios. No los necesito.

—Dígame que dejó la vigilancia por veinticuatro horas tal como pedimos el día que arrestamos a Morgan.

—No. No llegamos a cubrir los turnos y ordené retirarla. —Bennet miró a Álex y ella bajó la vista—. No tenía sentido mantenerla. ¡Habíamos atrapado al asesino, maldición!

—No jefe, no lo habíamos hecho. Y yo se lo dije. Pero eso ahora no importa.

—Claro que importa, pero no hay nada que pueda hacer al respecto. ¿No es así?

Álex negó. Y sintió algo de pena por Todd Bennet, pero la desechó de inmediato. ¿Cómo un sujeto tan imbécil podía haberse convertido en jefe de Policía? No lo entendía.

—Bien —intervino Jessica—. ¿Y qué ocurrió después?

—Jane, la prima de Sarah, se quedó en el carrusel mientras Sarah fue a la zona de juegos que hay detrás, la misma zona en donde ustedes atraparon a Morgan. Como Sarah tardaba en volver, Jane fue a buscarla, pero ya no la encontró. Desde entonces nadie ha vuelto a verla.

—¿Nadie la vio en la zona de juegos? —Álex estaba

sorprendida—. ¡Hay muchos niños por allí! ¿Cómo es posible que nadie la viera?

—Alguien debe haber notado algo, claro —dijo el jefe y se puso de pie—. Pero no hemos dado aún con esa persona. Tengo varios agentes peinando el parque, pero es muy temprano, y el parque está desierto. Hasta más tarde no hay muchos a los que podamos preguntarles nada. Supongo que encontraremos una respuesta durante la tarde de hoy, pero el tiempo se agota y temo que sea tarde.

—¿Y qué hacemos? —preguntó Jessica.

—Reúnanse con Walsh y tracen un plan de acción. Me informan apenas sepan algo.

Álex volvió a mirar el documento. La última hoja era una foto a todo color de una niña que miraba a la cámara mostrando una sonrisa a la que le faltaban algunos dientes. Pero lo que a ella le impresionó fueron los hermosos ojos azules que brillaban traviesos.

Dos ojos que, tal vez a esas alturas, ya habrían desaparecido para siempre.

14

ÁLEX ABANDONÓ la oficina de Bennet y, aprovechando que Jessica se había quedado consultando un asunto con el jefe, buscó a Devin.

Deseaba conversar con él a solas.

Ella sabía que la desaparición de Sarah Morrison debió golpearlo fuerte. Y quería acompañarlo. Sacarlo de ese lugar oscuro en el que, ella no tenía dudas, Walsh estaría perdido en ese momento.

Álex sabía cuánto miedo había tenido su compañero de que aparezca una nueva víctima.

Esa, ni más ni menos, había sido su pesadilla. Y se estaba cumpliendo demasiado pronto.

Y con demasiada crudeza.

En el estado en que se encontraba, Walsh era capaz de hacer una tontería. ¡Si ya se había liado a golpes con el jefe, por todos los santos!

Ella debía encontrarlo. Y pronto.

Antes de por fin dar con él, ella tuvo que buscarlo un buen rato.

Devin estaba escondido en un despacho vacío al fondo del corredor sur, una zona del edificio que casi nadie utilizaba.

Dejó la puerta entreabierta, así que Álex se acercó y lo observó unos minutos sin que él advirtiera su presencia.

La postura de Devin hablaba por sí misma. La espalda encorvada, el puño y la mandíbula apretados, y la vista clavada en la pared blanca traslucían la furia que sentía el detective.

Y también su frustración.

Álex asomó su cuerpo por el resquicio de la puerta y, para anunciarse, golpeó la madera un segundo antes de entrar en el despacho.

Devin levantó la cabeza y la miró. Pero no se movió de su sitio.

—¿Quieres que hablemos? —preguntó la psicóloga y se sentó frente a su compañero.

—Sarah Morrison desapareció del parque del carrusel. ¿Lo sabías?

Álex asintió, pero no dijo nada.

—Estuvimos ahí unas horas antes, pudimos ver al hijo de puta que le hace esto a los niños. Tal vez pasamos a su lado. ¿Pensaste en eso, Carter? ¿Pensaste que si hubiéramos dejado el parque vigilado, esa niña estaría ahora durmiendo en su cama?

—Sí, lo pensé.

Walsh aspiró y con una mano se restregó la cara. Entonces, ya sin poder contener la furia, le dio un puñetazo al escritorio.

Álex no dijo una palabra. Lo dejó descargar su enojo y esperó a que su compañero se recompusiera.

Unos minutos después, Devin se puso de pie y caminó por el despacho como un preso.

—Dos víctimas de cuatro pasaron por el parque. ¿Por qué? La clave tiene que ser el parque —dijo el detective.

—Deberíamos revisar los casos de las primeras víctimas, ¿no crees? —dijo Álex—. Hablar con sus familias y saber si los niños estuvieron ahí.

—Eso ya fue cubierto. La primera víctima desapareció cuando volvía de la escuela. Y la segunda cuando iba a la tienda.

—¿Y cómo sabemos que no estuvieron por el parque ese día más temprano? Debemos averiguar eso, Devin. Es muy importante. Mira, Michael desapareció en la calle, en el camino entre el parque y su casa. Y Sarah directamente en el parque, detrás de la zona del carrusel. ¿Crees que es una casualidad?

—Claro que no. Puede que el parque sea la clave.

Walsh volvió a rodear el escritorio y se acomodó en el sillón que había ocupado unos minutos antes. Luego descolgó el teléfono y pidió por el oficial Nichols.

—Comuníquese con las familias de las dos primeras víctimas —ordenó el detective al oficial cuando lo comunicaron—. Necesitamos saber si el día en que desaparecieron estuvieron en el parque del carrusel o si pasaron por ahí. Avíseme no bien sepa algo.

—Ahora solo es cuestión de esperar —dijo Álex por decir algo—. Mi abuela solía decir que quienes saben esperar tienen…

—Detente.

—Lo siento —dijo ella—. Es que estoy nerviosa.

—¿Lo estás? —preguntó Devin algo sorprendido—. No se nota. Eres la persona más calmada que conozco.

—Me muestro calmada, que no es lo mismo. —Álex miró en dirección a la puerta y luego miró su reloj—. ¿Demorarán mucho en comprobar lo que pensamos?

—Un rato, sí.

—Mientras esperamos me invitarás a desayunar —dijo Álex y sonrió—. Ya verás.

—¿Es un pálpito? —Walsh también sonrió. Esa chica tenía la habilidad de calmarlo.

Ella asintió.

—Por lo que he notado, tus pálpitos suelen ser bastante acertados, Carter. Empiezo a pensar que todo este asunto de la intuición y la empatía puede tener algo de cierto. Porque justo iba a proponértelo ahora. ¿Vienes conmigo a beber un café frío y a comer una dona rancia en la sala de descanso?

—¿Cómo negarme a semejante oferta? —dijo ella y se puso de pie.

Walsh también se levantó y se apresuró a abrir la puerta.

—Gracias, Carter —le dijo él cuando estuvieron en el pasillo—. En serio.

—Para eso están los compañeros —le respondió.

Luego, los dos juntos, fueron a la sala de descanso a esperar a que el oficial Nichols confirmara lo que ellos ya sabían.

15

Mientras Álex y Devin esperaban en la sala de descanso que el oficial Nichols les llevara la información, Jessica Ortiz se unió a ellos.

Se asomó a la puerta y, al verlos, entró.

—¿Hay noticias? —preguntó.

—Nada —dijo Álex—. Seguimos esperando que Nichols nos confirme si todos los niños, como pensamos, estuvieron en el parque el día en que desaparecieron.

—¿Café? —le preguntó Devin.

Jessica, en lugar de responder, se acercó al mueble donde estaba la cafetera con café recién hecho, levantó la jarra y olió.

—No, gracias —dijo arrugando la nariz y volvió a colocar la jarra en su sitio—. Está recalentado.

—Al menos no está frío —dijo Álex, que sin problema siguió bebiendo el que tenía servido en su taza.

Jessica buscó una bolsita de té en una caja de Twinings, la colocó en una taza y la cubrió con agua caliente.

Los tres se mantenían en silencio. Esperando.

—Y si nos confirman que los niños estuvieron ahí, ¿qué?

—dijo finalmente Jessica, que sostenía la taza entre ambas manos y olía el té recién hecho—. ¿Arrestamos a todos los que se acercaron al parque en aquellos días?

En ese instante, Nichols entró corriendo en la sala.

—¡Bingo! —dijo y le alcanzó a Walsh un papel en el que garabateó algunas respuestas que confirmaban que las dos primeras víctimas también habían tenido contacto con el parque cuando desaparecieron.

—Vamos —dijo Devin y salió.

Jessica y Álex lo siguieron.

—Jefe —dijo al llegar a la oficina de Bennet mientras abría la puerta. Y entró sin golpear—. Necesitamos una orden judicial.

—¿Para qué? —preguntó Bennet, que apenas levantó la vista de lo que estaba leyendo.

—Para pedir las grabaciones de las cámaras de los alrededores del parque —dijo Devin, que comenzaba a molestarse. ¿Qué importaba para qué? ¿Qué podía importar en un momento como aquel?

—En esa zona no hay cámaras, Walsh.

—Lo sé, pero los comercios sí las tienen. Necesitamos esas cintas, Todd. Hemos confirmado que todas las víctimas estuvieron en el parque el día en que desaparecieron.

—Ni hablar. —respondió Bennet.

—Pero podemos encontrar alguna pista, podemos ver a los niños. Si alguien los miraba. Si ese alguien se los llevó.

—No volveré a tomar una decisión apresurada. De ningún modo.

—¡Maldita sea! —Devin, que había perdido la poca paciencia que le quedaba, explotó—. ¿Tú quieres que atrapemos a este hijo de puta o no? Porque no has hecho otra cosa más que entorpecer esta investigación casi desde el comienzo.

Bennet se levantó tan bruscamente que tiró la silla en donde había estado sentado.

—¡Repite eso!

—¡Basta! —dijo Álex, que se interpuso entre los dos hombres y tuvo que insistir para que se detuvieran—. ¡Basta ya! Esta disputa de machos no nos lleva a ninguna parte. Solo perdemos el tiempo.

Devin asintió, aspiró y se alejó de la puerta.

Jessica siguió a Walsh, mientras que Álex se quedó con Bennet.

—¿Por qué no, jefe? —le preguntó tratando de no enfadarse—. No tenemos otras pistas, y sabemos que el homicida, al menos, los vio allí. ¿Por qué no? ¡Tiene que explicarlo!

—¡Porque no voy a cometer otro maldito error! —admitió al fin, y evidentemente, a su pesar—. Ya hemos cometido demasiados. Si volvemos a equivocarnos seremos el hazmerreír de esta ciudad, Carter.

—¿Y entonces no hacemos nada? —Álex no podía creer lo que escuchaba—. ¿Nos sentamos a esperar a que el asesino nos mande un mensaje para que sepamos dónde está y así lograr atraparlo?

—Puedes guardarte el sarcasmo, cariño.

—¡Ni cariño ni mierda, maldito cobarde! —estalló Álex y se acercó a Bennet mientras apuntaba el índice muy cerca de su rostro—. Si Sarah Morrison muere por su culpa me voy a encargar personalmente de que todo el mundo sepa que, mientras en esta estación todos nos estamos dejando la vida para encontrarla, usted tuvo miedo del qué dirán. Y nunca, jamás, logrará ser alcalde.

Desde afuera del despacho se escucharon aplausos y silbidos.

Álex había hablado más alto de lo que creyó y todo el personal de la estación la escuchó enfrentarse al jefe.

—Largo de aquí —dijo, lívido, el jefe Bennet—. No te suspendo, Carter, porque en este momento los necesito a todos. Pero por tu propio bien, te sugiero que desaparezcas.

—No hasta que me autorice a pedir la orden judicial —dijo Álex, a quien le temblaban las manos.

—Dile a Nichols que prepare los papeles —dijo Bennet reconociendo su derrota—. Y sal de mi vista.

16

ÁLEX SE QUEDÓ petrificada en el pasillo, junto a la puerta cerrada del jefe.

No sabía de dónde había sacado la energía necesaria para enfrentarse a él de modo semejante.

Suponía que desde el mismo momento en que Bennet había insistido en brindar aquella ridícula conferencia de prensa, la furia se fue cocinando a fuego lento en su interior. Había hecho eclosión en el momento preciso, por suerte.

Pero ella no tenía idea de por qué Bennet no la despidió sin más.

Enfrentarse de ese modo al jefe de Policía requería un valor que ella ignoraba poseer. En un punto se sintió orgullosa de lo que había hecho.

—Bien hecho, cariño —le dijo Nichols remarcando, en broma, la palabra «cariño» mientras la abrazaba—. Ya era hora de que alguien pusiera en su sitio a ese arrogante cabrón.

—Ya escuchaste —dijo ella y le guiñó un ojo—, prepara los malditos papeles.

Bromeando, Nichols se cuadró frente a ella, y después

corrió a su escritorio para preparar los documentos que había que enviarle al juez.

Entonces un grupo de gente la rodeó para felicitarla.

Walsh esperó a que todos se hubieran alejado para acercarse.

—Bien hecho, Carter —le dijo sonriendo y con los brazos cruzados sobre su pecho—. Debiste avisarme de que tenías ese carácter. Es un arma de destrucción masiva.

Álex sonrió.

—Ni yo sabía de este carácter, Walsh.

Devin le palmeó el hombro a su compañera y luego se dirigió al grupo reunido a su alrededor.

—Escuchen todos —dijo entonces Walsh y miró su reloj—. No tenemos tiempo que perder, los comercios están abriendo justo ahora. Necesito voluntarios que vayan a buscar las grabaciones. Salgan varios, así los tendremos antes. En cuanto la orden nos llegue, les avisaremos. Pero vayan igual. Seguro muchos nos las entregarán voluntariamente.

Varios oficiales uniformados asintieron y, de inmediato, salieron en dirección al parque y sus alrededores.

—¿Qué hago, Walsh? —preguntó Jessica

—Ve preparando los equipos —dijo el detective—. Apenas traigan los discos de las cámaras, tendremos que revisar horas y horas de grabación. Y busca varios voluntarios para que se vayan turnando. Tenemos que hacerlo rápido.

Jessica asintió y salió apresurada para prepararlo todo.

—¿Y yo? —preguntó Álex, reconociendo que, a pesar de que Devin era su compañero, era él quien mandaba en aquel sitio—. ¿Qué hago?

—Ven conmigo —le dijo, y volvieron a la sala de descanso.

Walsh se acercó a la cafetera, se sirvió café, y apenas lo probó hizo un gesto de desagrado.

—Jess tiene razón —dijo y se acercó al lavabo, donde tiró el café por el desagüe—. Mientras preparo más, me gustaría hablar contigo. Deberíamos repasar todo lo que sabemos hasta ahora. Y esmérate, ese poder de observación que tienes puede sernos de mucha ayuda.

Durante un buen rato, Álex y Devin revisaron todo lo que sabían. Leyeron los expedientes de todas las víctimas. Miraron con detenimiento la grabación del interrogatorio de Morgan. Estudiaron las fotos de las autopsias.

Y no encontraron nada nuevo.

Entonces Álex volvió a mirar la fotografía de Sarah Morrison. Y otra vez le llamaron la atención sus ojos. Brillantes, pícaros.

Y entonces recordó su pesadilla. Y recordó el terror que había visto en los ojos de la niña cuando el león se acercó a ella.

—Necesito ver una foto de Michael Long —dijo mientras revisaba los papeles que tenían sobre la mesa—. Una de cuando estaba vivo.

—Aquí hay una —dijo Walsh pescando la fotografía en un mar de documentos—. Ten.

Álex tomó la imagen y la miró con detenimiento.

Se concentró en los ojos, que, al igual que los de Sarah, brillaban.

Y así recordó la sensación que tuvo en la morgue al tocar el cuerpo del niño. El temor que había visto en sus ojos.

Un temor parecido al que apareció en los ojos de la niña que vio en su sueño.

—No soporta ver el terror en los ojos de los niños —dijo de pronto—. Tal vez por eso se los quita.

Álex le contó a Devin sobre su sueño, pero esta vez él no se burló de ella. Su compañera le había dado muestras suficientes de que algo, en su forma de pensar, funcionaba de un modo diferente al que lo hacía su propia mente.

Él no creía, de ninguna manera, que se tratara de empatía, intuición ni nada de eso, pero estaba seguro, sí, de que su compañera veía cosas en donde otros, ni siquiera él, no lograban ver nada.

Así que no perdió tiempo en cuestionarle nada. Escuchó lo que ella le decía y lo aceptó.

—Bien —dijo él después de meditar un rato—. ¿A dónde nos lleva eso?

No lo sé —dijo Álex, que, frustrada y molesta, soltó con cierta violencia las fotos, que cayeron sobre la mesa.

Walsh aspiró, miró los documentos y se restregó la frente.

—Empecemos otra vez —dijo al fin—. Tiene que haber algo.

—Interroguemos a Morgan, Devin. Presionémoslo. Llevémoslo a su propio límite, a ver si logramos que nos diga algo.

—No. No tiene sentido —dijo Walsh.

—Tiene el mismo sentido que revisar esto nuevamente. ¡Lo hemos hecho mil veces, y aquí no hay nada más!

—¿Y qué puede aportarnos Morgan, Álex? Has pasado un día entero interrogándolo y solo hemos descubierto que le gustan el fútbol y la Coca-Cola.

—Déjame intentarlo una vez más —insistió ella—. Deja que le muestre las fotos de todos los niños. A Sarah no pudo verla porque estaba aquí, detenido, pero tal vez sí vio a los otros niños. O notó con quién se fueron. No lo sé.

Devin lo meditó un momento y, por fin, aceptó.

—Adelante —dijo—. No hay nada que perder.

17

—¿No vas a darme una Coca-Cola esta mañana? —le preguntó Morgan a Álex apenas entró, esposado, a la sala de interrogatorios—. Hace mucho calor aquí.

—No por ahora —le respondió ella una vez que Morgan se sentó. Se mantuvo de pie junto a él, intentando establecer una posición de poder. De intimidarlo con su postura, aunque no con su discurso.

—Pero a mí me gusta la Coca-Cola.

—Hagamos un trato —le dijo y dio un golpecito sobre la mesa con la palma abierta—. Si respondes mis preguntas, te daré dos. ¿Qué opinas?

—Tenemos un trato si además me traes unas papas fritas.

—Hecho —dijo Álex y se sentó frente a Morgan—. Pero no vale que me hagas lo de ayer, debes responder sí o sí. Si te quedas en silencio, el trato se cancela. ¿De acuerdo?

—De acuerdo.

—¿Has visto a este niño en el parque, Calvin? —Álex deslizó sobre la mesa una foto de Michael Long cuando aún vivía. Un retrato de buen tamaño en el que se veía la cara del niño con mucha claridad.

Morgan no tocó la foto, pero la miró.

—No. No lo recuerdo —dijo al fin.

—¿Y a ella? —Álex le mostró una foto de la primera víctima.

—No lo sé —dijo y después negó con la cabeza—. En el parque hay muchos niños. Y mi memoria no es muy buena, ¿sabes? Además las niñas nunca se me acercan... Las he escuchado decir que no les gusto porque soy tonto.

Álex se quedó en silencio, esperando a ver si Morgan decía algo más. Intentaba aplicar la técnica que utilizaba con sus pacientes. Guardar silencio cuando se suponía que debía responder, siempre forzaba a sus pacientes a seguir hablando.

—Pero tal vez... —dijo Morgan al fin.

Álex miró en dirección al espejo que había en la sala. Espejo detrás del cual Walsh observaba el interrogatorio.

—¿Tal vez qué, Calvin? —preguntó Álex volviendo a fijar su atención en el jardinero—. Dime.

—No lo sé —dudó Morgan—. Puede que... Tal vez el otro jardinero haya visto algo —dijo, al fin, como tomando una difícil decisión—. O se acuerde. Pero no creo. Él no suele jugar con los niños porque ellos le temen. Pero a él le gusta mirarlos, eso sí. La verdad, siempre los está mirando. No sé para qué, si igual no va a jugar con ellos.

—¿Qué otro jardinero? —Álex volvió a mirar el espejo. Todas las alertas se habían encendido en su mente—. ¿Recuerdas su nombre, Calvin?

—¿El del jardinero, dices?

—Sí, el del jardinero. —Álex sonrió, como para tranquilizarlo.

—Robert, creo. O Albert. Gerald tal vez. —Morgan

sacudió la cabeza como intentando que se le acomodara algún recuerdo—. No estoy seguro. No. No recuerdo.

—¿Hablaste con él?

Morgan asintió, pero no dijo nada. Parecía asustado.

—Puedes hablar conmigo, Calvin —le dijo como para tranquilizarlo—. No tienes nada que temer. Estoy aquí para ayudarte.

Morgan asintió y tragó saliva.

—Su nombre no lo recuerdo —dijo al final—, pero todos le dicen Tank.

—¿Tank?

—Tank, sí. Supongo que debe ser porque es enorme. Y tiene mucha fuerza. Nunca pide ayuda para mover las bancas. Y cuando carga la carretilla, lo hace hasta el tope, parece que no le cuesta llevarla. Yo siempre le pido ayuda porque a mí la carretilla me pesa mucho. Y a veces se me cae.

—Y dime, Calvin. —Álex intentaba ser cautelosa. Temía asustar a Morgan y que él decidiera no seguir hablando—. El día que te arrestamos, ¿Tank estaba contigo?

—No lo sé. —Morgan se encogió de hombros—. Había estado esa mañana, pero no recuerdo si estuvo en la tarde. Creo que no.

—Si me dices dónde vive Tank le agrego un perrito caliente a las «cocas» y a las papas. ¿Qué me dices?

—Me encantaría un perrito caliente —dijo Morgan sonriendo—. Pero no va a poder ser, yo no sé dónde vive Tank, Álex.

—Qué pena —respondió ella. Lo dijo como si se lo dijera a un niño del preescolar.

Morgan le despertaba cierta ternura y ella no podía entender cómo Walsh y el jefe habían pensado que podía estar involucrado en los crímenes.

Para Álex era obvio que lo que Calvin había ocultado era

la existencia del tal Tank. Y pensó que su negativa a hablar del otro jardinero se debió al miedo que sentía por él, y a nada más.

Pero después de pasar unas cuantas horas con ella, Morgan llegó a construir un vínculo de confianza con Álex. Y por eso había hablado ahora.

—Muy bien, Calvin, no te preocupes —dijo ella sonriendo—. Te has ganado dos «cocas» bien frías.

—¿Y las papas? —preguntó Morgan en un tono preocupado.

Las papas también.

Calvin sonrió contento.

—Espera aquí que voy a buscar lo prometido —dijo Álex y abandonó la sala de interrogatorios.

Walsh esperaba en la sala contigua.

La psicóloga entró y se quedó de pie junto a su compañero, observando el comportamiento de Calvin cuando se quedó solo.

—Bien hecho, Carter —dijo Walsh sin mirarla—. Deberían agregar otro uso para la Coca-Cola. Además de aflojar tornillos, parece que sirve para aflojar la lengua a testigos reticentes a contar lo que saben.

—Es una gran idea —dijo ella sonriendo—. Fue todo mérito de la Coca-Cola. El hecho de que yo sea una terapeuta experimentada, seguro que no tuvo nada que ver.

—Seguro que no. —Walsh la miró y le guiñó un ojo.

—Debo ir a chequear lo que nos ha dicho Morgan —dijo entonces Álex—. Debemos encontrar a Tank.

—Si es que existe —dijo Walsh, que volvió a observar a Morgan.

—¿A qué te refieres?

—No lo sé… Hay algo que no cuadra.

—¿En Morgan?

Walsh asintió sin dejar de mirar.

—Hay algo en su actitud... En sus respuestas.

—¿Crees que miente? —preguntó Álex.

—No lo sé. —Devin la miró—. Desde el primer momento pienso que Morgan no es solo un testigo en este asunto. Tú me has hecho desistir de esa idea con el perfil que has trazado, pero sin embargo...

—¿Qué?

—No lo sé. —Devin sacudió la cabeza—. No lo sé. Concentrémonos en el próximo paso.

—Debo ir al parque —dijo ella entonces—.

—De ningún modo irás sola.

—El parque está lleno de uniformados, Walsh, difícilmente estaré sola. Y tú debes permanecer aquí. El jefe es un imbécil y no se arriesgará para encontrar a Sarah. Lo asusta más hacer el ridículo que la vida de esa pobre niña.

El detective asintió, Álex tenía razón. Pero eso no hacía que le gustara más la idea de que fuera sola.

—Cuídate —le dijo cuando ella estaba por salir.

—Lo haré, no te preocupes. —Álex salió y volvió enseguida—. No te olvides de hacerle llegar a Morgan las patatas y las «cocas».

—Un trato es un trato —dijo él y le sonrió—. Déjalo en mis manos.

Después continuó observando a Morgan. Y tuvo un feo presentimiento. Pero lo desechó de inmediato.

A fin de cuentas, él no creía en supercherías.

18

Intentando averiguar algo —cualquier cosa—, Álex recorrió el parque varias veces.

En diferentes horarios deambuló por el césped donde los niños jugaban con el balón, subió al carrusel, caminó por la zona de juegos que se abría detrás y por la arboleda desde la que Morgan había intentado escapar.

Se acercó a los baños públicos que, escondidos detrás de unos arbustos, no eran visibles desde el sector donde en los días normales corrían los niños.

Hurgó en la basura y entre las hojas que se amontonaban debajo de los árboles.

Localizó todas y cada una de las cámaras de vigilancia: las instaladas por la ciudad y las que, con su propio dinero, hicieron colocar los particulares.

Habló con los adultos que andaban por ahí y se agachó para conversar con los pocos niños que visitaban el parque aquel día. Les hizo preguntas a los ancianos que descansaban, a los curiosos que observaban a la policía y, de modo extraoficial, a los reporteros que buscaban noticias sobre la niña desaparecida.

Se acercó a los comercios de la zona para interrogar a los empleados y a los clientes, y se subió a los autobuses para conversar con los conductores.

Pero no tuvo éxito: nadie parecía haber visto al tal Tank.

Nadie, siquiera, había escuchado su nombre.

Nadie sabía de él.

Era como si el sujeto no existiera.

Álex no comprendía cómo un hombre al que cientos de personas debían haber visto día tras día, que estaba a diario en el mismo lugar y haciendo la misma tarea, podía ser invisible.

¿Walsh tendría razón? ¿Morgan le había mentido?

No. Ella no podía creer eso.

Álex era psicóloga. Su trabajo era hablar con las personas y descubrir lo que ni ellas mismas sabían. Leyendo la postura, los movimientos en las manos, las variaciones en el tono de voz, ella era capaz de detectar cuando alguien le mentía.

¿Tan ciega había estado al interrogar a Morgan? ¿Podía ser tan estúpida?

No, de ninguna manera.

Morgan no había mentido, ella lo sabía bien.

El tal Tank existía. Claro que existía.

Lo único que debían hacer era encontrarlo. Y si Tank era el sujeto que buscaban, había que hacerlo pronto.

De otro modo, no llegarían a salvar a Sarah Morrison.

19

El jefe Bennet seguía sin tomar decisiones. Tal vez por prudencia, pero probablemente por cobardía, se mantenía apartado de la acción y encerrado en su despacho.

Así que, como no había tiempo que perder, Devin se vio obligado a tomar el mando de la situación.

Fue por eso por lo que, previa entrega de las gaseosas y las papas que se había ganado en buena ley, ordenó que volvieran a encerrar a Morgan en su celda.

El detective estaba seguro de que el jardinero mentía. La actitud del sujeto le molestaba. Devin no lograba darse cuenta de qué se trataba, pero sabía que algo estaba fuera de lugar. Que algo no cuadraba.

Dijera lo que su compañera dijera, Walsh estaba convencido de que Morgan ocultaba algo. Cientos de interrogatorios le habían enseñado a confiar en su olfato. Y tenía suficientes años trabajando en el Departamento de Policía como para saber que muchas veces los tontos no eran tan tontos y que, casi siempre, los sospechosos eran culpables. O cómplices al menos. Pero casi nunca inocentes.

Como de momento Morgan seguía arrestado y lo que dijo estaba siendo investigado por Carter, Walsh dejó de lado el interrogante que le generaba el jardinero y decidió seguir otra línea de investigación, para lograr dar con la niña antes de que fuera demasiado tarde.

En su fuero íntimo, Devin comenzaba a creer que ya lo era, pero, decidido a no dejarse llevar por el desánimo, dejó de lado los pensamientos oscuros que lo atormentaban y le pidió a Nichols que le subiera al despacho en el que estuvo conversando con Carter los expedientes de todas las víctimas: estaba seguro de que debía haber algo ahí y, por eso, los volvería a revisar.

Por más meticuloso que fuera, al asesino se le tenía que haber escapado algo. Cualquier cosa.

—¿Ortiz volvió? —le preguntó Devin a Nichols después de que el oficial le dejara sobre el escritorio la pila de expedientes que el detective le solicitó.

—Hace como una hora —respondió Nichols, que se quedó de pie junto a Walsh—. Está estudiando las grabaciones que fueron llegando. Pero hasta ahora no han encontrado nada. En ninguna aparece nadie llevándose una niña.

Walsh asintió, tamborileó los dedos sobre la madera del escritorio y resopló. ¿Por dónde seguir?

—¿Alguna noticia de Carter? —preguntó por preguntar.

—Nada aún. —respondió Nichols.

—Bien, volveré a revisar esto —dijo Devin mientras abría el expediente de Michael Long—. Si Carter llama o si sucede algo nuevo con Morgan, me avisas.

—Claro —dijo Nichols, que luego salió cerrando la puerta tras de sí.

Apenas Nichols salió, Walsh, furioso, cerró el expediente con fuerza.

El tictac del reloj que colgaba de la pared lo volvía loco.

Porque era un recordatorio de que el tiempo pasaba inexorablemente. Y de que él no podía hacer nada. Nada en absoluto hasta que alguna pieza se moviera.

Esa intranquila espera le recordaba otros momentos de su vida, de su trabajo, en que las esperas habían sido igual de frustrantes. Y en las que todo acabó terriblemente mal.

Devin no quería recordar aquellos tiempos ni las razones que lo habían alejado de Nueva York, pero en momentos como aquellos, en momentos en los que la vida de una víctima estaba en sus manos, no podía evitarlo.

Y entonces, sonó su móvil.

—Carter —contestó el detective—. ¿Has conseguido algo?

—Escucha —pidió Álex—. En el tiempo que estuve aquí pude memorizar la ubicación de todas las cámaras. Y si yo pude hacerlo en unas horas, seguramente quien trabaje aquí pudo hacerlo también.

—No entiendo a qué te refieres. ¿Qué importa eso?

—No sé quién colocó los equipos, pero no lo hizo bien: la instalación es bastante deficiente, la verdad.

—¿Qué tratas de decir? Ve al grano, ¿quieres?

—Hay muchos puntos ciegos en el parque. Si el asesino trabaja aquí, o si pasa mucho tiempo en este lugar, debe haberlo notado como lo noté yo. Y debe saber por dónde escapar sin quedar registrado. Si fuera tú, yo no tendría muchas esperanzas de encontrar algo en las grabaciones.

—Entiendo.

—Puede que esté equivocada —dijo Álex—. Está claro que no soy experta en seguridad, pero creo que no debes perder tiempo esperando esos resultados. Estoy convencida de que no saldrá nada de allí. Que sigan buscando por las dudas, si quieres. Pero yo que tú, dirigiría la investigación hacia otro lado, Devin. No hay tiempo que perder.

—Gracias, Álex —dijo el detective, a quien se le notaba el desánimo en la voz—. ¿Algo más?

—Nada por ahora.

—Bien. Nos vemos después. Y avísame de cualquier novedad.

—Lo haré. Adiós.

Walsh cortó la llamada y, durante un largo rato, se quedó inmóvil tratando de ver por dónde rayos seguir.

Debía dirigir la investigación por otros carriles, sí.

El problema es que no sabía por cuáles.

20

DESDE LA MADRUGADA de hoy continúa, de forma intensa, la búsqueda de la niña desaparecida, residente de la ciudad de Topeka, Kansas.

Fuentes extraoficiales han revelado que Sarah Morrison puede ser otra víctima del Homicida de Niños. Y que la investigación se ha estancado.

Durante todo el día, la policía ha estado trabajando en la zona del mismo parque en que, días pasados, fue arrestado Calvin Morgan, uno de los jardineros, pero, a pesar de que hemos intentado entrevistarlos, se han negado a conversar con nosotros.

A pesar de lo dicho por el jefe Bennet, tenemos información que indica que Morgan parece no tener relación alguna con estos crímenes, aunque, por estas horas, aún permanece detenido.

También hemos intentado entrevistar al detective Devin Walsh, investigador principal del caso, pero desde la conferencia de prensa en la que Bennet dio la noticia del arresto de Morgan, y en la que Walsh pareció respaldarlo, no hemos logrado volver a conversar con él.

Tampoco hemos podido obtener ninguna declaración del jefe Bennet.

Por ahora, el Departamento de Policía de Topeka no ha brindado ninguna declaración oficial y se ha cerrado a dar nuevos datos, respondiendo siempre «sin comentarios».

En la morgue, Felipe Lamont apagó el televisor que durante todo el día había transmitido información sobre el caso Morrison, y arrojó el control remoto contra la pared haciéndolo trizas.

Nada de lo que habían dicho en el informe era mentira.

Pero tampoco era la verdad.

Y eso a Felipe lo enfermaba.

Las noticias informaban sobre el accionar de la policía, haciéndolos quedar a todos como si fueran unos imbéciles. A todos ellos. Pero los más expuestos, los que recibían la peor parte, eran Bennet —que, si fuera por él, podía irse al infierno por idiota y cobarde— y Devin.

Éste era un detective de homicidios sobresaliente. Pero esos malditos reporteros lo estaban haciendo pedazos, presentándolo como un idiota o como un títere del jefe.

En un punto, Felipe se sentía culpable. ¿Habría pasado por alto alguna pista? No lo creía, él había trabajado en el caso del Homicida de Niños con dedicación y cuidado.

Había sido minucioso.

El problema era que el homicida también lo fue y no les dejó nada con qué trabajar.

Ni un maldito cabo suelto.

Felipe volvió a su mesa de trabajo y buscó las fotos de todas las víctimas.

Las apoyó sobre la mesa y las acomodó una al lado de la otra y, durante un largo rato, las miró con detenimiento.

Y no encontró nada diferente.

Tenía que cambiar la estrategia. Si quería encontrar algo nuevo, debía buscar de un modo diferente. Entonces recordó que, la tarde anterior, estuvo armando un rompecabezas con uno de sus sobrinos. Felipe le había explicado que, a veces, era buena idea acomodar las fichas por color. Que esa podía ser una buena técnica para organizar la tarea.

Entonces, recordando su propio consejo, en lugar de agrupar las fotos por víctima, lo hizo según la zona del cuerpo que reflejaban. Todos los brazos. Todas las piernas. Todos los rostros. Todas las cuencas vacías.

Evidentemente, existía un patrón en el modo en que el asesino trabajaba. Eso ya lo sabían. Felipe estaba seguro de que había algo, y que ese algo debía verse en las fotografías. El problema era que no lograba ver qué.

Se concentró en las heridas de los ojos. Miró esas cuencas rojas y vacías hasta que solo le parecieron machas rojizas y no oscuros pozos de espanto.

Pero no encontró nada ahí.

Luego miró todas las fotos en las que se veía el cabello de los niños. Todos brillantes, impecables.

No encontraría nada ahí, ya lo sabía. Era llamativo el modo en que los habían peinado, pero eso no agregaba nada a lo que ya tenían. De todos modos volvió a revisar.

Miró las manos. Las uñas limpias como patenas.

Nada.

Entonces se detuvo en las muñecas. Miró con detenimiento. Observó las marcas de las ataduras, que se veían claramente. Anchas, profundas. Exageradas ataduras para el tamaño y la fuerza de los niños.

Más que a niños, parecía que hubieran atado ganado.

Entonces todas las alarmas empezaron a sonar en la mente de Felipe Lamont.

Se levantó y, corriendo, fue hasta su oficina. Cogió el teléfono y, de inmediato, llamó al detective Walsh.

21

Si seguía encerrado en la estación de Policía, Devin iba a volverse loco. No entendía qué demonios hacía allí. Él no era el jefe. Era un detective y, como tal, se suponía que debía estar afuera haciendo algo. Si hasta Álex, que ni siquiera era policía, estaba en la calle. Pero la estupidez de Bennet lo había puesto a él en una posición extraña. Una situación que lo incomodaba y que no quería.

Todas las bases posibles fueron cubiertas y él hizo todo lo que estuvo en sus manos para que cada cabo suelto se estuviera investigando.

Ahora solo restaba esperar.

Y rezar. ¿Por qué no? Como estaban las cosas, Devin pensó que rezar sería una muy buena idea. Aunque si al Dios al que había que rezarle era el mismo que permitía los homicidios, tal vez la idea no fuera tan buena después de todo.

Siguiendo un impulso tomó su chaqueta y, muy desanimado, caminó por el largo pasillo hacia la zona de los elevadores.

Se largaba. No podía continuar inmóvil mientras todos estaban haciendo algo.

Cuando estuviera en la calle, tal vez podría pensar mejor y decidir el siguiente paso. Y si no se le ocurría nada, al menos se despejaría: un poco de aire fresco no le vendría nada mal.

Llegó al vestíbulo y le hizo una seña a Nichols, que hablaba por teléfono, para avisarle de que se iba y que volvería más tarde.

Pero Nichols lo detuvo:

—Walsh —dijo levantándose de su asiento y sosteniendo el fono entre el hombro y la barbilla—. No te vayas, tengo a Lamont en línea. Quiere hablar contigo. Y dice que es urgente.

Devin se apresuró a volver, se acercó hasta donde estaba Nichols y tomó el teléfono.

—Felipe, soy Devin. ¿Qué ocurre?

—Los ata como si fueran ganado. ¡Como si fueran ganado! ¿Me oyes?

—¿De qué rayos hablas?

—A los niños. El asesino los ata como si fueran ganado.

—Ya sabemos que los ata. Y que los lava y que…

—Pero los ata de un modo especial.

—Y eso es nuevo o importante porque…

Devin comenzaba a irritarse.

—Déjate de preguntar estupideces y ven a la morgue ahora, tengo que mostrarte algo.

—Bien.

Él no comprendía muy bien cuál era la novedad en todo aquello. Ya sabían que los niños habían sido atados. ¿No? ¿Entonces?

123

Pero como la llamada de Felipe le dio un propósito, decidió no preguntar nada más e ir de inmediato a la morgue.

La alternativa era deambular como un maniático buscando a Sarah Morrison por las calles. Y era una alternativa bastante estúpida, la verdad.

Además, aunque Felipe fuera grosero y a veces impresentable, Devin confiaba ciegamente en él. Si Lamont decía que era importante, lo era. Sin duda.

~

No bien Devin puso un pie en la Morgue Metropolitana, Felipe —que había estado aguardando la llegada del detective en el vestíbulo— le insistió para que lo siguiera.

—Ven, apresúrate —dijo y comenzó a caminar a paso acelerado por los corredores del edificio.

A Devin lo sorprendían la prisa y la agilidad de su amigo, normalmente sedentario y lento. Pero ahora Felipe estaba alerta y ansioso por explicarle algo que parecía importante.

Así que el detective guardó las preguntas para más tarde y siguió a Lamont por los pasillos de la morgue, hasta que llegaron a su oficina.

—Me pasé la mañana pensando que debía haber algo en las condenadas fotos. Tenemos una cantidad suficiente como para empapelar un dormitorio. No era posible que no surgiera nada de ellas —dijo Lamont mientras rebuscaba entre las fotos que había estado revisando—. Así que, en lugar de agruparlas por víctima, cambié el enfoque y las agrupé por lesión.

Devin escuchaba atento.

—Cuando me concentré en las lesiones causadas por las ataduras —siguió el analista forense mientras colocaba las fotos frente a Devin— noté que las heridas eran gruesas y profundas. Y eso me sorprendió. Porque sabemos que el asesino es fuerte, que no debe haberle costado mucho someter a los niños. Podría haberlos dejado inconscientes con un simple golpe, ¿no crees?

—Intentar comprender por qué este hijo de puta actúa como actúa es difícil, Felipe —dijo Devin mientras miraba las fotos tratando de descifrar adónde quería llegar su amigo—. Y también es inútil. Bueno, a lo mejor no sea inútil, pero ese, justamente, es el trabajo de Carter. Y hasta ahora no ha podido averiguar mucho al respecto. No sabemos por qué los ata, como tampoco sabemos por qué les quita los ojos ni por qué les lava el cabello.

—Lo sé, lo sé. Pero mira... —dijo Felipe y señaló una foto de la primera víctima—. Mira el diámetro de ese brazo. Y mira el grosor y la profundidad de la lesión. El asesino no lo hizo por la necesidad de inmovilizarlos, Devin. Y, realmente, no importa por qué lo hizo. Pero al concentrarme en la forma de la atadura, más que en la causa, descubrí algo: las lesiones son todas iguales. «Exactamente» iguales. ¿Me explico?

El detective miró fijo a Felipe y luego levantó la foto que le indicaba su amigo. Después tomó las demás. Las acercó y las miró con mayor detenimiento.

—Tiene un método —dijo Devin sorprendido.

—Eso es, tiene un maldito método —Lamont asintió—. El sujeto hace siempre lo mismo, con la misma fuerza, con la misma intensidad. Ahí lo tienes. Soy un imbécil por no haberlo visto antes. Pero ahí lo tienes.

—No sé qué es lo que tengo.

—La forma en que los ató me hizo pensar en un sistema. Y se me ocurrió que, por la fuerza y el grosor de las ataduras, los nudos perfectamente servirían para someter ganado. Y como hablamos de un método, de un sistema, es algo que el homicida hace con habitualidad. Como un trabajo. Es algo que ha practicado infinidad de veces, sin duda.

—Por las características de los cortes, sabemos que trabaja con animales. ¿Carnicero?

—No, los carniceros no atan a las reses. Ni las matan. Este sujeto trabaja con animales vivos. Y de gran porte, amigo. Al menos de un porte suficiente para justificar semejantes ataduras.

Devin se quitó la chaqueta, rodeó el escritorio y le pidió a Felipe que entrara en Google.

—Busca el tema en línea.

—¿Qué tema? —preguntó Felipe, pero hizo caso y entró en Google.

—No sé… Matanza de animales. O ataduras de animales. Empieza a buscar algo y vemos desde allí.

Durante un buen rato investigaron en línea sobre el asunto. Descubrieron que el tipo de nudos que llevaban las ataduras, y la soga utilizada, no servía para atar reses, sino que se utilizaba para ganado más chico. Cerdos, corderos y otros animales de un porte similar.

—Trabaja en un matadero —dijo de pronto Devin—. El hijo de puta trabaja en un maldito matadero. Mira esto.

El detective le mostró a Lamont una serie de imágenes en las que se veía claramente cómo ataban a los corderos antes de matarlos.

Felipe estuvo de acuerdo.

—Haz una lista de todos los mataderos que haya en la ciudad. Incluye también los que haya en Lawrence, en Junction City y en Salina.

—¿Wichita? ¿Kansas City? —preguntó el analista forense.

—No, busquemos los mataderos de por aquí y de las ciudades más cercanas. Si no encontramos nada, ampliaremos el radio de búsqueda. Sarah Morrison debe estar en algún sitio.

—El asunto es que esté viva, ¿no?

Devin clavó una mirada furiosa en su amigo. Pero no dijo nada.

Al fin de cuentas, Felipe tenía razón.

22

Anochecía cuando Álex, sentada en el asiento del conductor de su auto, cerró los ojos y se masajeó el cuello. Se sentía agotada. Había pasado el día entero corriendo de aquí para allá sin resultado alguno: el famoso Tank no aparecía por ningún lado. Odiaba la idea de tener que volver a la estación y enfrentarse con Walsh. No quería oír «Te lo dije» de boca de su compañero. Tal vez se lo mereciera, de acuerdo, pero no deseaba oírlo.

Debería haberlo escuchado. Al fin de cuentas, Devin tenía experiencia en su trabajo, él había investigado otros crímenes, interrogado a otros sospechosos y arrestado a unos cuantos criminales. Más que a unos cuantos, probablemente.

Su experiencia, en cambio, se limitaba a lidiar con amas de casa depresivas, hombres adúlteros y adolescentes rebeldes.

Ella no sabía nada de delincuentes. Evidentemente, no sabía tratar con ellos. Aunque Morgan no era un delincuente. ¿O sí?

Devin decía que el jardinero ocultaba algo. Y tal vez lo hiciera. Pero eso no lo convertía en un homicida despiadado. ¿Realmente Morgan le había mentido? Ella no lo creía, podía equivocarse. Claro. Pero...

Ella encendió el motor de su auto, aunque no se decidió a arrancar. Se quedó en el sitio donde había aparcado pensando qué hacer.

Se le tenía que ocurrir algo. Y pronto. La noche ya asomaba por el horizonte. Si hasta las luces del parque se estaban encendiendo.

Y entonces lo vio. A lo lejos había un hombre de overol azul que trabajaba con un rastrillo y una carretilla. El corazón comenzó a latirle con fuerza. ¿Se trataría de Tank?

Entonces apagó el motor y bajó del auto.

Con cautela se dirigió al lugar en donde el hombre seguía trabajando. Álex estaba asustada, los uniformados hacía rato que se habían ido. Solo quedaban un par de policías haciendo guardia, pero se encontraban del otro lado del parque y no vigilaban la zona donde se encontraba ella.

Por un momento dudó, ella no tenía entrenamiento y Tank podría ser peligroso. Pero Álex tenía miedo de que el sujeto escapara. Todo el día había intentado dar con él sin conseguirlo. Si llamaba a Walsh o a cualquier otro, si esperaba, era posible que el sujeto se largara de allí y que no tuvieran otra oportunidad.

Así que, juntando coraje y fingiendo una rudeza que no tenía, fue al encuentro del sujeto, que, ajeno a todo el drama, trabajaba tranquilo mientras tarareaba una canción pegadiza.

Cuando se aproximó al hombre y, finalmente, pudo verlo de cerca, Álex supo que no se trataba de Tank.

El jardinero era un hombre mayor, casi un anciano,

129

delgado y debilucho. No podía ser Tank. No coincidía con la descripción que Morgan había hecho de él y claramente no poseía la fuerza que le describió.

—Buenas tardes, señor —dijo Álex sin acercarse demasiado—. ¿Puedo hacerle unas preguntas?

El sujeto se dio vuelta para mirarla. La observó con desconfianza, pero no huyó.

—¿Es por el asunto de la niña? —preguntó al fin.

—Intentamos encontrarla, sí. Es por eso.

—No he visto nada —el hombre se dio vuelta y volvió a rastrillar las hojas que se juntaban sobre el césped—. Yo no estaba aquí cuando desapareció. Así que ya puede irse por donde ha venido.

—¿Conoce usted a otro jardinero? ¿Uno al que llaman Tank?

—Hace poco que trabajo aquí, no conozco a nadie y no quiero problemas. Bastante me ha costado conseguir este empleo como para perderlo por meterme donde no me llaman. Lárguese, ¿quiere?

Álex insistió sin atender al pedido del anciano jardinero.

—¿Y no se le ocurre quién podría ayudarme? Alguien tiene que conocerlo. ¿No?

—Debería preguntar en la oficina de personal, en el ayuntamiento hay una oficina que se encarga de contratar al personal del parque. Ellos seguramente sabrán más que yo. Y podrán ayudarla.

Álex se sintió una imbécil, ese era el primer lugar al que debió haber acudido. Pero en su afán de encontrar a Sarah, no lo pensó. Nadie lo pensó.

Y habían perdido todo el maldito día. Porque a aquellas horas la oficina ya estaría cerrada. Tendría que esperar hasta la mañana siguiente para poder seguir indagando sobre el asunto.

—Gracias —dijo ella por fin—. Lo haré.

El jardinero ni siquiera le respondió.

Álex se alejó de allí, se subió a su auto y volvió a su casa.

23

En el agua tibia, Álex había agregado unas gotas de aceite de lavanda.

Después del día endemoniado que tuvo necesitaba calmarse y buscar un modo de dormir, aunque no fuera más que un par de horas.

A fin de cuentas era muy probable que el día siguiente fuera igual o peor que ese. No podría cambiar el día, pero sí podía enfrentarlo un poco más descansada.

Sumergida en la tina hasta la barbilla, ella sentía cómo sus músculos se iban relajando poco a poco.

Pero su mente no se desconectaba. No. Ella seguía pensando, buscando conexiones, organizando.

Lo primero que haría al levantarse sería ir al ayuntamiento, sí. Lo haría, incluso, antes de ir a la estación. No quería contarle nada a Walsh hasta no estar segura, hasta no tener algún dato concreto sobre Tank. Y si primero iba a la estación tendría que dar explicaciones, para las que no había tiempo ni energías

Además no quería quedar como una tonta frente a su compañero.

Pero eso, justamente, la hacía sentir muy tonta. ¿Qué cuernos le ocurría? ¿Cómo podía tener sentimientos románticos en un momento como aquel?

Álex no lograba explicárselo. Pero tampoco podía reprimirlos.

Le ocurría lo que le ocurría. Y, con sus habilidades empáticas, podía sentir que a él le pasaba algo similar.

Cuando estaba con Devin, a pesar del asunto del Homicida de Niños, ella se relajaba. Sentía que podía ser ella misma. Que no importaba que él no comprendiera sus habilidades o que no le creyera. La hacía sentir cómoda, la tenía en cuenta. Y eso estaba bien.

Muy bien.

Lo que no estaba nada bien, era involucrarse con un compañero de trabajo. Eso siempre significaba problemas. Y Alexis Carter ya no quería problemas de ningún tipo. Menos problemas románticos.

De esos ya había tenido suficientes como para dos vidas.

Se sumergió en el agua y, cuando estaba completamente sumergida, creyó escuchar algo.

Entonces salió del agua y esperó.

Y entonces comprendió de qué se trataba: alguien estaba tocando el timbre de su apartamento.

A Álex le llamó la atención que alguien se presentara tan tarde en su casa. Supuso que la visita tendría alguna relación con el caso. Así que, un poco en contra de su deseo de permanecer sumergida en el agua tibia un buen rato más, salió de la tina, se puso un albornoz de tela de toalla color blanca y, con su cabello aún chorreando agua, se acercó a la puerta para observar por la mirilla.

En el corredor, luciendo muy cansado y sosteniendo una bolsa, esperaba Devin.

Por todo lo que había estado pensando mientras se bañaba, Álex dudó un segundo antes de abrir la puerta e invitarlo a pasar. Pero lo hizo. No podía dejarlo afuera.

—¿Qué haces aquí? —le preguntó ella cuando su compañero ya había ingresado en el apartamento.

—No lo sé. —Él sonaba confundido—. Creo que estoy agotado. Y, para variar, me gustaría conversar de algo que no sea el caso.

—¿Ocurrió algo? —insistió Álex invitándole con un gesto a pasar a la sala y que se sentara.

—No. —Este se sentó y se restregó la frente—. Creo que solo necesito algo de compañía.

Álex se sorprendió. Devin era un tipo rudo, pero evidentemente la desaparición de Sarah Morrison lo había llevado casi a un punto de quiebre.

—¿Quieres un café? —Álex, vestida solo con una bata de baño y con el cabello chorreando tanta agua que mojaba el piso, se sentía ridícula—. ¿O tal vez una cerveza?

Entonces el detective notó que había sacado a su compañera del baño y se disculpó.

—Lo siento, Carter —dijo y se puso de pie. Aún llevaba la bolsa en la mano—. Debí llamar antes. Me largo.

—No digas tonterías —dijo Álex tomándolo del brazo—. Vuelve a sentarte, ¿quieres? Te traeré una cerveza y, mientras la bebes y te relajas un poco, iré a cambiarme.

Unos minutos después, Álex —vestida con un chándal y una sudadera, descalza y secándose el cabello con una toalla— volvió a la sala.

A Devin le sorprendió su aspecto.

Vestida con esa ropa, luciendo el rostro sin una gota de maquillaje y con el cabello suelto, parecía mucho más joven de lo que aparentaba cuando trabajaba con él en la estación.

Y bastante más vulnerable. Casi una adolescente. Pero él sabía bien que solo lo era en apariencia. Alexis Carter no era vulnerable en absoluto. Cuando aquella mañana la había escuchado enfrentarse al jefe Bennet, se dio cuenta de que ella tenía carácter, convicciones y principios. Su trabajo le importaba. Y descubrir aquello lo había impresionado al punto de no poder dejar de pensar en ella.

—¿Qué tienes en la bolsa? —preguntó Álex y dejó la toalla húmeda con que se había secado el cabello sobre el respaldo de una silla.

—Comida —dijo él y le dio la bolsa que había traído—. Además de trabajar, cada tanto deberíamos comer, ¿no crees?

Álex sonrió y llevó la bolsa a la cocina. La colocó sobre el mesón y revisó su contenido: dos porciones de comida china, una caja de cervezas y helado. Nada mal.

—Me gusta el menú para esta noche, Walsh —dijo ella y sacó de un mueble dos bandejas en donde acomodó la comida.

—Me alegro, después de lo que vi en la morgue esta tarde no me apetecían las hamburguesas ni nada por el estilo.

—Ven por unas cervezas y llévalas a la mesa del comedor —pidió Álex cambiando de tema.

Como terapeuta, ella sabía que Devin estaba emocionalmente comprometido. Y que también estaba exhausto. Por el bien de Sarah Morrison, ella debía lograr que el detective recuperara la objetividad y la energía. Dos elementos imprescindibles para poder lidiar con un caso como el que tenían entre manos.

Desde que había ingresado en la Policía, cada día Álex se había preguntado cómo hacían esas personas para vivir sus vidas con normalidad cuando, todo el tiempo, los rodeaba el terror, el espanto, la maldad, las perversiones más oscuras, la corrupción… En fin, cómo lograban ser psíquicamente estables.

Con la visita de Devin, ella comenzó a creer que no lo eran tanto.

Ella pensó que lo mejor sería alejarlo del trabajo por unas horas. Eso podía ayudar a que Walsh se recuperase un poco. Lo suficiente, al menos, para poder hacer su trabajo.

Mientras Álex preparaba los platos y los cubiertos, él sacó dos cervezas frías de la refrigeradora. Luego tomó un mantel que le ofreció su compañera y volvió al comedor para acomodar todo sobre la mesa.

Álex fue detrás, puso los platos y luego sirvió la comida. Se sentaron uno frente al otro y comieron en silencio.

Los dos habían tenido un día horrible. Frustrante. Agotador.

Comer en silencio y con buena compañía parecía una buena idea de la que ninguno habló, pero que ambos disfrutaron.

Porque son pocas las personas con las que uno puede pasar el rato en silencio sin sentir incomodidad. Y ellos lo habían logrado.

No era un dato menor.

Después de cenar volvieron a la sala, cada uno con una nueva cerveza fría en la mano.

—¿Por qué te uniste al cuerpo de Policía, Álex? —preguntó Devin.

—Supongo que para sentirme viva.

—¿Y eso?

—¿Nunca has sentido que lo que haces no tiene sentido? —preguntó Álex y luego bebió un sorbo de su botella—. ¿Que no beneficia a nadie?

—He sentido eso desde que llegué a Topeka.

136

—¿En serio? —Álex estaba realmente sorprendida. No imaginaba cómo un hombre como él podía sentirse inútil. Ella no tenía dudas de que Walsh era el mejor detective de homicidios de la ciudad.

—Esta es una ciudad tranquila, Álex. A pesar de lo que está ocurriendo ahora, es tranquila. Y sentí que…

—¿Qué?

—No quiero sonar arrogante.

—No lo harás. ¿Qué sentiste?

—Que mis habilidades se desperdiciaban aquí. —Devin tomó lo que le quedaba de su cerveza y dejó la botella sobre la mesa de centro—. Me formé en Nueva York, ¿sabes? Pero al final tuve que largarme. Me abrumaba el trabajo, y la violencia de la gran ciudad me afectó casi al punto de quebrarme. Pensé que en un lugar más pequeño, menos poblado, podría hacer algún bien. Ser útil. Pero no fue así, y antes de que el Homicida de Niños apareciera solo deseaba largarme otra vez. Puede que suene tonto, pero me siento culpable de sentir que soy el único entrenado para resolver este maldito caso.

—Menos mal que no lo hiciste. —Álex también terminó su cerveza—. Que no te hayas ido es una buena noticia. Sin ti estaríamos perdidos.

—No lo estarían. Por si no lo has notado, yo no estoy haciendo muy bien mi trabajo. Además, hay otros detectives.

—¿Con Bennet a cargo? Olvídalo, Walsh. Estaríamos perdidos. Y estás haciendo un gran trabajo, no lo dudes. Dicen por ahí que lo que sucede, conviene. Y a Topeka le has convenido tú.

—¿Además de empática, o como sea que le llames a eso que haces, eres una especie de gurú?

Ella soltó una carcajada. Se sintió mal por reírse con todo lo que ocurría, así que hizo un esfuerzo y reprimió la risa.

—No hagas eso —dijo Devin.

—¿Qué?

—No disimules la risa, Carter. A fin de cuentas es lo que nos mantiene vivos. O cuerdos. O humanos. No lo sé. Pero es buena. Ayuda a no perderse en todo este espanto.

Ella sonrió y se quedó en silencio. Pensando.

—Este caso me ha golpeado duro, ¿sabes? —dijo él con un tono de voz algo melancólico—. Y ha abierto algunas heridas que creí cerradas.

Álex asintió.

—Lo sé —dijo—. Puedo notarlo. No eres ni la sombra del sujeto que eras hace unos días cuando me sumé al caso.

—Es que me siento responsable por esta niña.

—No lo eres, estás haciendo lo posible por atraparlo. El hijo de puta es hábil, Devin. Y se esconde entre la gente. No será fácil atraparlo. Pero tú no eres más responsable de esto de lo que puedo serlo yo. Si entre nosotros tiene que haber un culpable, ese debería ser Bennet. Y la verdad, aunque es un rematado idiota, tampoco creo que tenga culpa.

—Ahora no pienso en atraparlo —Walsh seguía hablando como si no hubiera escuchado una palabra de lo que Álex le decía—: solo quiero recuperar a Sarah Morrison con vida. Nada más.

Álex asintió otra vez.

—¿Quieres otra? —preguntó ella refiriéndose a la cerveza. Sin esperar su respuesta, se puso de pie y se acercó a la mesa de centro a buscar la botella vacía que Devin dejó ahí. Al agacharse frente a Walsh, él se acercó y, con la mano derecha, tomó a su compañera de la barbilla, la miró durante un segundo o dos, y luego —sin pensarlo mucho la verdad— la besó.

Fue un beso extraño. Sorpresivo. Algo incómodo.

Pero muy erótico.

El beso más excitante que Álex hubiera recibido en toda su vida. Y era decir bastante, porque había recibido unos cuantos.

Los dos supieron que fue un error. Que probablemente las tensiones del día los habían llevado a eso. Que no convenía que se enredaran.

Eran compañeros de trabajo y esas cosas nunca acababan bien.

Álex se alejó más rápido de lo que hubiera querido. Y Devin se peinó el cabello con los dedos un segundo antes de ponerse de pie y tomar su chaqueta.

—Yo... Álex... No...

—Está bien, no pasa nada.

—Estoy ebrio —dijo intentando justificar su impulso—. Creo que debería irme.

—Creo que sí —dijo ella y lo acompañó hasta la puerta.

—Te veo mañana temprano en la estación —dijo él antes de irse.

—Sí —respondió ella.

—Adiós.

Una vez que se quedó sola, Álex se apoyó contra la madera fría y dura de la puerta.

¿Qué demonios ha sido eso?, pensó.

No buscó mucho una respuesta. Entonces apoyó dos dedos sobre su boca. Y trató de conservar la sensación que le había quedado después de la sorpresa.

Y la sensación no había sido mala. En lo absoluto.

Fue el beso más sexy que había recibido en toda su vida, claro.

Pero no podía repetirse.

24

Cuando la oficina de personal abrió, Álex ya se encontraba en el ayuntamiento. Había llegado temprano, muy temprano, provista de un café y de la paciencia suficiente como para esperar que abrieran: se cercioró de llegar a tiempo para ser atendida antes que nadie. No tenía tiempo que perder.

Cuando la empleada que se ocupaba del personal de los parques la llamó, Álex tenía muy bien preparado su discurso. No iba a tolerar que nadie le pusiera trabas, ese día debía tener respuestas. Y averiguaría quién era Tank a como diera lugar.

—No puedo darle esa información sin la orden de un juez —le dijo la empleada, poniendo cara de idiota, después de que Álex le explicara la situación y le preguntara sobre los jardineros del parque del carrusel.

—¿No puedes o no quieres? —Álex comenzó a levantar presión.

—Mire, señorita, la información es confidencial. Yo no estoy autorizada a darle los datos de nuestros empleados a cualquiera que pregunta.

—Yo no soy cualquiera que pregunta. —Álex ya no sonreía y, con violencia, puso su placa sobre la mesa—. Como ya te he dicho, soy miembro del cuerpo de Policía de la ciudad. Y estoy tratando de averiguar el paradero de Sarah Morrison. ¿Has oído de ella? ¿Acaso ves los noticieros? ¿O es que pasas el maldito día mirando telenovelas y complicándonos la vida a los que intentamos hacer algo útil?

—No le voy a permitir...

—Vas a permitirme eso y mucho más. —Álex se puso de pie—. ¿O acaso crees que guardas los secretos nucleares del país? Estoy pidiéndote, maldita golfa, que me digas si entre los empleados hay alguno al que llamen Tank, solo eso. Y si me lo dices, puedes salvar la vida de Sarah Morrison y ser una heroína. Ahora, si eliges no colaborar conmigo, volveré aquí y te haré arrestar por obstrucción de la justicia. ¿Me has oído?

Álex no tenía ni idea si lo que decía era correcto o no. No sabía, ni siquiera, si era posible arrestar a alguien por negarse a colaborar. Pero estaba dispuesta a decir lo que fuera con tal de tener la información que necesitaba.

—No... —dijo, un poco asustada, la empleada—. No lo sé... No me suena el apodo. Debería revisar los expedientes.

—¿Y qué estás esperando? —preguntó Álex—. ¿Qué llene una forma para que te decidas a ir por ellos? ¡Muévete, cariño! Y ve a buscarlos. Ya.

La empleada, un poco nerviosa, tecleó algo en su computadora y buscó los expedientes de los empleados.

Álex rodeó el escritorio de la mujer y se quedó de pie detrás de ella, observando la pantalla.

Al lado de los datos de cada empleado aparecía una foto. Vio los expedientes de Morgan y del sujeto que ella vio la noche anterior. Y había cinco empleados más. Todos eran robustos. No muy mayores. Cualquiera de ellos podía ser Tank. Aunque tal vez no fuera ninguno.

Pero ella no tenía otra cosa. Y seguiría ese hilo de la investigación hasta el final. Estaba segura de que allí había algo.

—No sé cuál puede ser el sujeto que busca —dijo la mujer luego de revisar dos veces todos los legajos—. Aquí no encuentro la información que me pide. En ningún lado están los apodos, si es que los tienen.

—Bien —dijo Álex—. No importa. Imprime, por favor, todas las fotos. Me llevaré los retratos de todos los jardineros.

—Pero…

—¿Pero qué? ¿Me obligarás a arrestarte?

La mujer negó y, obediente, se dispuso a imprimir.

25

Cuando Devin despertó, se maldijo. Por haber bebido de más, pero, sobre todo, por haber cometido la estupidez de besar a Álex.

Él era un sujeto experimentado. Y no era un niño. ¿Cómo se le podía haber ocurrido besar a su compañera? ¿En qué rayos estaba pensando?

El problema, justamente, es que no había estado pensando. No había pensado nada. Y encima la cabeza se le partía en mil pedazos.

¡Maldita cerveza!

Devin se sentó sobre su cama con la intención de tomar un analgésico, pero, justo cuando iba a levantarse, sonó su móvil.

Miró la pantalla: era Felipe.

—¿Qué sucede? —preguntó sin saludar siquiera.

—Buenos días, ¿no? —Felipe sonaba alegre. Lo cual no constituía un milagro, pero casi.

—No me fastidies. No estoy de humor.

—Malos días, entonces. —Lamont se rio.

—Ve al grano, Felipe. ¿Tienes la lista?

—La tengo, sí, por eso te llamo. Son unos cuantos mataderos, pero si nos apresuramos lograremos visitarlos a todos antes de que termine el día.

—Envíamela por *e-mail*. Iré a recorrer los malditos mataderos ahora mismo. E iré solo.

—De eso nada —dijo Felipe—. Estoy llegando. Te llevo la lista y agregaré un café, por lo visto y oído, creo que te hace falta.

—Ni hablar, Felipe. Voy solo.

—No fue una pregunta, viejo. O voy contigo o te olvidas de la lista. Y eso es todo.

Walsh sabía que nada que dijese podría convencer a su amigo. Nada lo disuadiría.

—Que el café esté caliente y amargo —dijo Devin cediendo.

A fin de cuentas, probablemente necesitaría ayuda.

El detective cortó la llamada y se metió en el baño para darse una ducha caliente. Mientras se bañaba no lograba dejar de pensar en su compañera. Pero tenía que poner aquel asunto a un lado.

Cuando el caso se resolviera, ya vería qué hacer con lo que sentía. Pero por ahora, sus sentimientos por Álex solo significaban una cosa: problemas.

Muchos problemas.

Salió de la ducha y se secó a medias. Se puso un vaquero oscuro y una sudadera. Justo cuando tomó su chaqueta sonó el timbre.

Presionó el botón para dejar entrar a su amigo y, mientras

Felipe subía, tomó su placa, sus llaves y su arma, que colocó en su sobaquera.

Luego se puso la chaqueta y abrió la puerta, justo a tiempo para recibir a su amigo y su café.

Ni siquiera lo hizo pasar, tomó el café —que efectivamente estaba caliente y amargo— y salieron a la calle.

El detective Devin Walsh había vuelto a enfocarse.

Tenía todas sus facultades intactas y estaba más preparado que nunca.

Estaba dispuesto a encontrar viva a Sarah Morrison a como diera lugar y, cuando lo hiciera, sería mejor que el maldito hijo de puta que la había secuestrado comenzara a correr.

26

Álex volvió a la estación llevando en su maletín las fotos de todos los jardineros del parque del carrusel.

Apenas bajó del elevador, Nichols le hizo una seña con la mano para que se acercara.

—¿Tú vives aquí? —le preguntó ella, sonriendo. Cada vez que entraba o salía, Nichols andaba por allí. El agente debía tener el horario más complicado de todo el cuerpo de Policía

—Más o menos —dijo él sonriendo también. Luego se puso serio—. Bennet quiere verte.

Álex maldijo en voz baja y se alejó de Nichols en dirección a la oficina de su jefe.

Apenas llegó tocó la puerta, y cuando Bennet le pidió que entrara, ella lo hizo.

El jefe lucía envejecido, el error de la conferencia de prensa le había costado mucho más que su candidatura a alcalde.

Probablemente, también le había costado su reputación.

En el instante en que Álex vio a su jefe, supo que alguien le había llamado la atención. Alguien lo había reprendido. Y un sujeto de la personalidad de Bennet tenía tolerancia cero a la humillación.

Ella también lo había humillado. Y estaba segura de que este era el momento en que Bennet se cobraría el mal rato que le hizo pasar.

—¿Dónde rayos estuviste ayer, Carter? —preguntó él directamente y con bastante rudeza. Era evidente que Todd Bennet no tenía ningún interés en conservar las formas.

—Trabajando en el parque.

—El parque estaba lleno de uniformados. No entiendo qué podía hacer allí una perfiladora forense.

—Siguiendo una pista. ¿Qué más?

—Tú no eres policía, Carter, no lo olvides.

—No lo olvido. Pero si ser policía significa comportarse como lo viene haciendo usted, me alegra no serlo.

Bennet comenzó a ponerse rojo.

—Además fue usted el que me designó como perfiladora del asesino. Y usted lo ha dicho, no soy policía. Y usted no es psicólogo. Así que cómo realizo mi trabajo es mi problema y no el suyo. Yo sé lo que hago, Bennet. No voy a enseñarle cómo empuñar un arma. No me enseñe cómo entender la mente de una persona.

Álex estaba sorprendida de la agresividad de sus respuestas. Ella no era así, pero la estupidez, la ineficacia y la mediocridad de ese sujeto la sacaban de sus casillas. Tanto que no lograba controlar su lengua que, minuto a minuto, se iba poniendo más afilada.

Durante unos segundos ambos se miraron a los ojos. Cada uno bien plantado en su postura en rincones opuestos del despacho.

Bennet fue el primero en ceder. No iba a arriesgarse a otra discusión subida de tono que fuera escuchada por todos en la estación. Álex nuevamente lo había enfurecido y él no se lo pensaba permitir. Pero tampoco daría un espectáculo. No. De ninguna manera. Ya se encargaría en persona de la psicóloga y, para cuando terminara con ella, no sería capaz de atender un paciente en lo que le restara de vida. Pero aquel no era el momento de darle su merecido. Aquel era el momento de pensar en frío y de salvar lo que fuera posible salvar tanto de la situación como de su imagen. Sobre todo de su imagen.

Así que respiró hondo y se sentó. Luego, con una seña, le indicó a Álex a que lo hiciera también.

—Quiero que te encargues de la prensa —dijo Bennet casi con amabilidad, pero yendo directo al punto.

—¿De la prensa? —A ella de verdad le sorprendió el pedido del jefe—. ¿Yo? ¿Por qué?

—Sí, tú. ¿Por qué? Porque yo lo digo. Y ese debería ser un motivo suficiente. —Bennet se repantingó en su sillón—. Pero si necesitas otro, creo que como no eres policía puede que te comuniques con los reporteros desde otro lugar, que tengas un enfoque más… ¿sutil es la palabra? Sí, más sutil. Además eres una cara fresca, nueva. Y eso puede aligerar un poco las cosas. Por último, es obvio que tienes dotes para escuchar y para interpretar. Eso puede servirnos con la prensa. Aunque te aconsejo que no les respondas a ellos como me respondes a mí últimamente. Eso podría traernos más problemas aun. Y ahora mismo estamos a tope con los que podemos manejar.

Álex no quería saber nada de lidiar con la prensa. No le gustaba y no se sentía preparada para ello. Pero como entendió que ponerla en aquella situación era una especie de venganza para Bennet, decidió no darle el gusto de mostrarse molesta. ¿Todd Bennet quería jugar con ella? Muy bien, Alexis Carter también sabía jugar.

—Lo que usted ordene, jefe —dijo ella con la sonrisa más

falsa de todo el estado de Kansas—. ¿Qué quiere que diga? Porque imagino que ya debe tener algo preparado. ¿Me equivoco?

Bennet la miró fijo, pero no hizo ni un gesto. Después abrió una carpeta y sacó una hoja que tenía un texto impreso.

—Quiero que digas esto. Ni más ni menos.

Ella leyó el texto y luego negó.

—¡Pero esto es una mentira!

—¿Lo es?

—Aquí dice que tenemos una pista sólida, que creemos que pronto encontraremos a Sarah y que tan solo es cuestión de tiempo para que atrapemos al Homicida de Niños.

—Tú misma me dijiste hace un momento que habías pasado el día investigando una pista. ¿No es cierto?

—¡Sí! Pero…

—Pero nada. Asumo que será una pista sólida si desapareciste todo el día justo en el momento en que más te necesitamos. Tú eres la perfiladora. Debes estar muy cerca de saber quién es. ¿O no?

—Tengo algo, pero…

—Después del discurso que me diste ayer frente a todos los policías de esta maldita estación deberías tener mucho más que algo, Carter. Así que, ahora, tú verás qué haces. Y si no quieres que lo que dice ese comunicado de prensa sea nada más que una sarta de mentiras, ocúpate de lograr que cada maldita palabra del jodido comunicado sea la pura verdad. ¿Qué opinas? ¿Te crees capaz de hacer eso?

Ella no dijo nada. Cualquier cosa que dijera solo conseguiría empeorar la situación. Así que se limitó a asentir y, muda, se levantó llevándose con ella el comunicado.

—La rueda de prensa es mañana al mediodía, espero que para entonces ya sepas quién es el asesino, cariño.

La última palabra sonó como un insulto, porque eso era. Bennet lo sabía y Álex lo sabía.

Pero ella prefirió hacerse la tonta antes que volver a perder el tiempo discutiendo con ese cabrón.

Álex salió del despacho sin siquiera darse vuelta para mirarlo, y dejando la puerta abierta tras de sí.

—Cierra la puerta —pidió Bennet.

—Si la quiere cerrada —gritó Alex mientras se alejaba por el corredor—, levante su gordo culo del sillón y ciérrela usted mismo.

27

Walsh y Lamont habían visitado todos los mataderos de Junction City y de Lawrence sin tener ningún resultado.

Bueno, en realidad algún resultado habían tenido, ninguno de ellos parecía tener relación con el Homicida de Niños.

En ninguno de ellos se utilizaban ataduras como las que habían observado en las víctimas, así que suponían que el asesino no trabajaba en ninguno de esos.

Apenas salieron del apartamento de Walsh decidieron ir a Junction City, que era el lugar más alejado: visitarían los dos mataderos que había allí y luego, si no encontraban nada, o nada concluyente, irían hasta Lawrence.

Suponían que el asesino no cometería los homicidios en el mismo sitio en donde trabajaba porque alguien podía llegar a reconocer su trabajo.

Walsh y Lamont asumieron que trabajaría en algún lugar alejado de Topeka. Pero si iban hasta Salina no podrían revisar los mataderos de Lawrence.

Entonces decidieron que, si en Lawrence no hallaban

nada, visitarían los mataderos de las afueras de Topeka y, en todo caso, dejarían Salina para el día siguiente.

Y eso hicieron.

Pero como no habían tenido éxito en ninguno de los dos sitios estaban volviendo a Topeka. Revisarían los cuatro mataderos de la ciudad antes de que terminara el día.

Mientras trabajaban, Devin tuvo el impulso, dos veces, de llamar a Álex. Haberse alejado así, sin darle explicaciones, probablemente no había sido muy buena idea, pero el detective prefirió mantener la distancia hasta aclarar un poco las ideas. Así que, temprano, le había enviado a su compañera un mensaje avisándole de que estaba siguiendo una pista y que la llamaría más tarde.

Pero no llamó.

Así que, por la tarde, casi cuando estaban por aparcar el auto en el primer matadero de las afueras de Topeka, Álex lo llamó a él.

—Carter —dijo Walsh justo cuando detuvo el motor—. Dime.

—¿Vas a venir a la estación?

—Probablemente lo haga más tarde. ¿Por qué?

—Quiero mostrarte una cosa.

—Estoy terminando de revisar algo, puede que con Felipe hayamos encontrado una pista sólida.

Ella se alegró al escuchar aquello, seguía preocupada por el encuentro con la prensa del día siguiente.

—¿De qué se trata? —preguntó Álex.

—Estamos verificando una posible conexión con algún matadero de la zona. Los estamos visitando a ver qué encontramos.

—¿Crees que Sarah Morrison puede estar ahí?

—No lo sé. Pero no lo descarto.

—Bien, avísame si descubres algo.

—Lo haré. ¿Qué quieres mostrarme? —preguntó Walsh.

—Tengo unos retratos que… No importa, cuando regreses te lo cuento.

—Bien. Álex…

—Dime.

—Yo… Nada. Olvídalo. Te veo luego. ¿De acuerdo?

—De acuerdo.

28

Álex había tenido un día ocupado. Como se incorporó al caso recién después de la muerte de Michael Long, no había tenido oportunidad de conocer a las familias de las dos primeras víctimas.

Así que, como no había podido contarle a Devin sobre el asunto de las fotos, aprovechó el tiempo para entrevistarse con los familiares que aún no conocía.

Pensó que hablando con ellos y, sobre todo, utilizando su empatía, sería capaz de encontrar algo nuevo. Alguna información que no figurara en los expedientes. Algún dato relevante que echara luz sobre el asesino.

Pero no fue así. No logró ni un retazo de información que ya no conociera. Y, con su empatía, lo único que consiguió fue sufrir en carne propia el dolor que sentían esos padres a los que el Homicida de Niños les había quitado todo.

Al llegar la noche, Álex estaba destruida. El sufrimiento de los padres de todos los niños se le había clavado hondo. Y la estaba lastimando.

Decidió tomarse unos minutos y por eso fue a la sala de descanso a buscar un café. Allí se encontró con Jessica Ortiz.

—Hola, Jess —dijo al ver a la analista que, sentada en uno de los sillones y con la cabeza apoyada sobre el respaldo, se frotaba los ojos—. ¿Día duro?

—Ni que lo digas —dijo Jessica incorporándose un poco para conversar con ella.

—Iba a prepararme un café —dijo Álex señalando la cafetera— ¿Quieres uno?

—Preferiría tomar veneno antes que ese brebaje al que todos en este sitio se empeñan en llamar café. Así que no, gracias.

Álex sonrió sin ganas y se sirvió uno para ella.

—¿Has tenido suerte revisando las cintas? —preguntó y se sentó junto a la analista forense.

—No, he revisado horas y horas de grabación y no he encontrado nada. El sujeto sabe dónde están las cámaras. No hay duda.

No le sorprendía lo que Jessica le dijo. De hecho, ella le había adelantado a Walsh que no encontrarían nada. Así que Álex asintió, pero no dijo nada.

Durante unos minutos ambas mujeres se hicieron compañía en silencio. Cada una perdida en pensamientos diferentes, pero emocionalmente exhaustas por igual.

Entonces, Devin y Felipe entraron en la sala de descanso.

—Hola —dijo Felipe, que fue directo a la cafetera. Se sirvió lo que quedaba en el fondo y ni se molestó en preparar más.

—Hola —dijeron Jessica y Álex al unísono.

Devin se acercó al refrigerador y sacó una soda. Luego se acercó a un sillón vacío y se arrojó sobre él.

—¿Cómo les fue? —preguntó Álex. Les preguntó a los dos, pero solo miró a Devin.

—No nos fue bien. Revisamos todos los mataderos de Junction City y los de Lawrence. Pero de los de aquí solo pudimos revisar dos. Cuando fuimos a los otros estaban cerrados. Y no parecía haber nadie dentro. Volveremos mañana.

Felipe, que se había mantenido de pie junto a la puerta, apuró lo que quedaba de su café y luego tiró el vaso descartable en un cesto.

—Voy a volver a mi oficina —dijo—. Haré algunas llamadas a ver si logro que alguien nos deje ver esos sitios esta noche.

—Eso sería bueno —dijo Devin—. Yo me quedaré aquí, avísame si averiguas algo.

—Lo haré.

—¿Vas a la morgue, Felipe? —preguntó Jessica.

Lamont asintió.

—¿Me llevas? —La analista forense se puso de pie y buscó su chaqueta y su bolso sin esperar la respuesta de Felipe—. Dejé mi auto aparcado allí.

Cuando ellos se fueron, por las dudas de que a su compañera se le ocurriera hablarle sobre el asunto del beso, Walsh se apresuró a preguntarle qué era lo que quería mostrarle.

—Espera aquí —dijo Álex mientras se ponía de pie. Luego salió de la sala de descanso.

A los pocos minutos volvió sosteniendo en la mano unas cuantas fotos.

—Mira —le dijo y le dio los retratos de los empleados del parque.

—¿Qué es esto? —preguntó Walsh observando las fotos.

—Son los retratos de todos los jardineros del parque del carrusel.

—¿Y cómo los obtuviste? ¿Bennet te consiguió una orden?

—No quieres saber cómo las conseguí —dijo ella y sonrió—. Pero creo que Tank puede ser uno de ellos.

—¿De qué hablas? —preguntó Devin algo intrigado.

Entonces Álex le contó todo lo que habló con el jardinero anciano y le dijo que la empleada del ayuntamiento no conocía a ningún Tank, que nunca había oído aquel apodo. Así que no pudo identificarlo.

—¿Crees que podríamos volver a interrogar a Morgan esta noche? —preguntó ella—. ¿Mostrarle las fotos a ver si lo reconoce?

—Es una buena idea. Si el tal Tank existe, deberíamos averiguarlo lo antes posible.

—Bien —dijo Álex y se levantó como para irse—. Voy a pedir que suban a Calvin a una de las salas de interrogatorio. ¡Ah! Y la conversación que nos quedó pendiente, podemos tenerla más adelante. No te preocupes.

29

EN LA SALA DE INTERROGATORIOS, Álex intentaba hablar con Calvin Morgan. Pero, hasta el momento, no había tenido suerte.

En el mismo instante en que ella puso las fotos de los jardineros sobre la mesa, Morgan se cerró en banda y no dijo ni una palabra más.

Ella intentó todo para que él dijese algo, pero no hubo palabras amables, papas fritas ni refrescos que lograran que el jardinero abriera la boca.

Él se mantenía sentado, con los brazos cruzados sobre su pecho, mirando fijamente la pared y mudo.

¿Estaría asustado?

—A él lo conozco —dijo Álex mostrándole a Morgan la foto del jardinero anciano que le había sugerido preguntar en el ayuntamiento—. Pero no puede ser tu amigo Tank.

Morgan miró la foto pero no respondió.

—Quiero que mires muy bien estas fotos, Calvin. —Ella colocó las fotos restantes sobre la mesa—. ¿Alguno de ellos es Tank?

Morgan hizo lo que Álex le pidió, pero, de inmediato, volvió a mirar la pared. Siguió sin decir nada.

—Necesito que colabores conmigo —le pidió ella—. La vida de una niña puede depender de ti. ¿Me oyes?

El jardinero seguía mudo e inmóvil.

—¿Tienes miedo? —preguntó entonces. Era lo único que le cuadraba, no entendía por qué Morgan se había puesto así.

—Yo no tengo miedo —dijo él muy enojado—. No es eso.

—¿Y qué es? —insistió Álex—. ¿Qué ocurre? Sabes que puedes decírmelo…

Pero Morgan se volvió a cerrar y continuó mirando la pared, mudo como un muerto.

Álex aspiró, dio un golpecito de frustración sobre la mesa y salió de la sala de interrogatorios.

Luego entró a la sala contigua desde donde Walsh había estado observando la entrevista.

Detrás del cristal, Morgan continuaba inmóvil y con los brazos cruzados sobre el pecho. Pero ya no miraba la pared. Ahora observaba las fotos con una expresión bastante extraña.

Alguna de las tres fotos que Álex, a propósito, había dejado sobre la mesa le causaba angustia a Morgan.

—Mira su rostro cuando observa las fotos —dijo Devin, que había notado lo mismo que ella—. Algo lo perturba.

—Pero no podemos saber qué.

—Espera aquí —dijo Devin y salió de la sala de interrogatorios.

Ella continuó observando.

Devin entró en la sala en donde Morgan esperaba y tomó dos fotos, de modo que, sobre la mesa, solo quedó una, luego abandonó la sala sin decir nada.

Álex, desde su lugar, observó la reacción de Morgan frente a la foto que había quedado.

Nada.

Por la expresión del rostro del jardinero, ella supo que ese retrato le era completamente indiferente.

Devin, que aún tenía en su poder las dos fotos restantes, volvió con Álex. Nichols venía con él.

—¿Y? —preguntó el detective—. ¿Alguna reacción?

—Nada, probemos con otra.

Devin le dio otra de las fotos a Nichols y le indicó que entrara a la sala de interrogatorios, que se llevara la foto que había sobre la mesa y que la reemplazara con otra.

Nichols asintió y, pocos segundos después, hizo lo que Walsh le había ordenado. En el instante en que el oficial abandonó la sala de interrogatorios, en el segundo en que Morgan volvió a quedarse solo, Álex y Devin vieron que miraba la nueva foto. Y vieron, sorprendidos, la expresión de Morgan.

La reacción era tan evidente que a Álex casi le dio pena.

—Bingo —dijo Walsh —creo que hemos encontrado a Tank.

Álex no estaba muy convencida de nada.

Cuando Morgan, en su conversación anterior, había mencionado a Tank, nunca habló de él con miedo o con angustia. Al contrario, casi que lo había mencionado como si fuera un amigo.

Ahora, sin embargo, Morgan se mostraba angustiado y temeroso. ¿Por qué?

¿Qué había ocurrido para generar en el jardinero semejante cambio?

Álex le manifestó a Devin sus dudas.

—No cuadra, Walsh —insistió ella después de haberle explicado lo que pensaba—. Aquí sucede otra cosa.

—Puede que tengas razón —dijo su compañero—. Intentemos interrogarlo otra vez. Pero sin las fotos, a ver qué sucede.

En ese preciso momento, Bennet entró en la sala donde Carter y Walsh decidían el próximo paso.

—No más interrogatorios para Calvin Morgan —dijo Bennet, que, evidentemente, había escuchado la conversación entre ellos.

—Pero… —intentó objetar el detective.

—Ni pero ni nada, Walsh. Morgan se va ahora, no podemos mantenerlo aquí. No tenemos nada contra él.

—Jefe, escuche… —Álex quería explicarle que era importante interrogar al jardinero al menos una vez más.

—No tengo nada que escuchar, acaba de llamar un abogado que viene en camino. Si volvemos a interrogar a Morgan tendremos problemas. Este sujeto se va hoy. Y es una maldita orden. ¿Entendido?

Ellos asintieron. Sabían que habían perdido. Que Morgan se iba.

—Bien —dijo Bennet—. Y, Carter, espero que ya estés preparada para la rueda de prensa.

Devin hizo una seña a su compañera, intentado averiguar de qué hablaba el jefe, pero Álex no le respondió.

Bennet abandonó la sala sin esperar la respuesta de Álex, que, una vez a solas con Walsh, insultó bastante a la madre de su jefe.

30

El día de Walsh fue largo y terminado de la peor manera. Justo cuando parecía que habían encontrado algo, la pista se les escurría como arena entre los dedos.

Devin intentó persuadir a Bennet de que dejaran detenido a Morgan una noche más. Quiso explicarle todo el asunto de Tank y de las fotos. Pero no hubo caso, Bennet no escuchó razones y liberó a Morgan tan pronto el abogado del jardinero llegó a la estación de Policía.

—¿Pero de dónde salió el maldito abogado? —preguntó Devin frustrado.

—No sé ni me importa, estuvo aquí pidiendo su liberación, insistiendo en que no teníamos motivo alguno para retenerlo. Y hubo que liberarlo. La ley es la ley. Y no hay nada que yo pueda hacer al respecto.

—¿Y la vida de Sarah Morrison no cuenta para nada?

—No juegues conmigo, Walsh, sabes que ese no es el punto.

Y el detective lo sabía, aunque eso no significaba que tuviera que gustarle.

Así que, agotado y sin pistas que seguir hasta el día siguiente, decidió volver a su casa a dormir un poco. Tal vez con un poco de descanso encontraría el modo de volver a interrogar a Morgan.

Mientras conducía, Lamont lo llamó al móvil.

—Escucha —dijo Felipe—, he contactado con los mataderos que nos faltaban. No conseguí que nos atendieran hoy, pero sí me enteré de algo, el método de ataduras que buscamos ya no se utiliza en esta zona. Me dieron una explicación que no entendí. Pero el asunto es que en ningún sitio se utiliza en estos días.

—¿Y eso qué significa?

—Que posiblemente no tenga sentido continuar viendo los mataderos de Salina.

—Puede que el asesino no trabaje actualmente en un matadero. Puede que lo haya hecho antes, cuando se usaban las ataduras que hemos visto.

—Es bastante plausible, sí —confirmó Lamont.

—Gracias por avisarme, amigo.

—Ni que lo digas, lamento no haber sido de más ayuda. A fin de cuentas, todo lo que hicimos no sirvió para nada.

—En realidad no es así, sabemos que el homicida, en algún momento, trabajó en un matadero. Y tal vez eso nos ayude a atraparlo.

—Ojalá tengas razón —dijo Felipe y cortó la comunicación.

Devin siguió conduciendo durante un buen rato. No quería volver a su casa, así que tomó la carretera 70, que une Denver con Kansas City, y condujo hasta que sintió hambre.

Se detuvo en un restaurante de carretera muy iluminado. Vio que varios camiones se habían detenido allí para comer. Y decidió entrar, si los conductores de camiones elegían aquel lugar para cenar, seguramente era bueno.

Se sentó junto a la barra y pidió unas típicas costillas de cerdo con salsa barbacoa y una cerveza fría.

Devin comió hasta hartarse y, cuando estuvo satisfecho, finalmente condujo de vuelta a su casa.

Los barrotes son gruesos, pero la celda donde se encuentra encerrado no es muy amplia.

No comprende bien por qué se encuentra en ese lugar. Lo que sí comprende es que se encuentra en peligro.

Él sabe que algo anda cerca. Que algo lo acompaña en el encierro. Que algo lo acecha.

Pero no alcanza a ver de qué se trata. Sabe que eso está vivo. Sí.

Y que es peligroso.

Eso también.

Él lo siente respirar. Lo escucha caminando a su alrededor. Moviéndose, cauteloso, entre las sombras.

Y, entonces, eso ruge.

Él, así, comprende: es un león.

No puede verlo. Pero lo sabe.

Como sabe que está hambriento, que es peligroso.

Que va a matar.

Pero él también está atrapado. E indefenso. Y no puede hacer nada para detenerlo. Sabe que está ahí, muy cerca, al acecho. Pero no puede detenerlo.

El león ruge otra vez.

Él alcanza a ver una garra. Y, entonces, grita.

Walsh se despertó empapado. Temblando aún. Casi pudiendo sentir la garra del león destrozando su garganta.

¿Qué rayos había sido eso? Nunca había tenido un sueño tan vívido en toda su vida.

Se sentó en la cama, encendió la luz y se levantó. Fue a la cocina y se sirvió un *whisky* puro y se lo bebió de un sorbo. Pero no logró calmarse. Entonces volvió a su dormitorio y miró la hora: las dos. Pensó que sería bueno hablar con alguien. Con un loquero tal vez. A esas horas, probablemente Álex estaría dormida. Mientras marcaba su número, Devin pensó que sería mejor no molestarla. Que seguro ella necesitaba descansar tanto como lo necesitaba él. Que Álex era psicóloga, pero no «su» psicóloga.

Cuando escuchó el tono de llamada, volvió a mirar la hora. Y pensó que no era un momento apropiado para hablar con su compañera. Que era un desconsiderado. Que sería mejor cortar. Llamar en otro momento.

Pero cuando Álex atendió, medio dormida, su llamado, él le contó.

31

—No sé ni por qué te he llamado —dijo Devin después de contarle su sueño con lujo de detalles. Ahora que había puesto en palabras todas las sensaciones que la pesadilla le provocó, se sentía bastante más tranquilo. Y también un poco idiota.

—Porque necesitabas desahogarte —dijo Álex, que entendía, perfectamente, cómo se sentía su compañero. A fin de cuentas, ella se había sentido igual cuando tuvo su primera pesadilla. Pero ella no tuvo a quién recurrir—. No es fácil cuando esos sueños suceden. Mucho menos cuando te ocurren por primera vez.

—¿Son comunes? —preguntó Devin creyendo que Álex se refería a que muchos de sus pacientes los sufrían.

—No, no lo son. Solo les suceden a algunas personas.

—Pero tú sabes qué significa, ¿no?

—No, no exactamente. Sé por qué lo has soñado, eso sí.

—¿Y por qué he soñado que estoy encerrado en una jaula con un león al que no puedo ver?

—Porque eres empático, Devin, ¿por qué va a ser?

Devin soltó una carcajada.

—¿Ahora resulta que soy lo mismo que tú?

—¿Y qué si lo eres? —Álex se sintió un poco molesta. No le gustaba que nadie se riera de ella. Pero comenzaba a respetar a su compañero y, que justamente él se hubiera reído, le molestó mucho.

—Nada, pero no lo soy.

—¿Y cómo lo sabes? Al fin y al cabo, te importan las personas. Te angustias cuando sienten su dolor. Te enfadas cuando son idiotas o injustas. Puedes distinguir si mienten o si dicen la verdad. Si eso no es empatía, Devin, no sé qué rayos es.

—Indigestión. Solo eso.

—No es necesario que te burles de mí, ¿sabes? Me llamas de madrugada, me cuentas lo que te ocurre, me pides ayuda y ¿te ríes de mí porque no te agrada o porque no comprendes lo que te digo?

—No me rio, Carter. —Devin intentó disculparse con su compañera, pero lo hizo muy mal—. Es que yo no soy como tú…

—Mira, tú no sabes cómo soy, Walsh. Ha faltado poco para que me trates de loca. Me has hecho hacer el ridículo frente a Lamont y frente a Ortiz. Te has quejado de mí con Bennet. Y nunca, ninguna de esas veces, has hablado conmigo al respecto. Solo te has acercado a mí cuando te sentías angustiado o preocupado. Te has sorprendido cuando he tenido razón, me has besado cuando se te antojó y elegiste no hablar del tema, porque te incomodaba. Luego me llamas de madrugada y me despiertas para que te ayude con algo que no entiendes y, como prefieres creer que estoy loca, eliges reírte de mí aduciendo una indigestión que sabes bien que no tienes, antes de creer en mi palabra.

—Álex. —Devin se sentía avergonzado—. Yo no quise…

—Ahórrate las disculpas, Walsh, no las necesito ni las espero. Pero si supones que yo cambiaré mi método de trabajo o mis convicciones, simplemente porque tú no comprendes cómo soy, te informo que estás muy equivocado.

—Lo siento, Álex. No quise molestarte ni esta noche ni nunca. De verdad. Lo siento. Es cierto, debí hablar contigo. Expresarte mis dudas. Pero no lo hice. Y con respecto al beso…

—Déjalo, Devin. No importa. —Álex no deseaba enojarse. Tenían mucho entre manos como para andar perdiendo tiempo y energía en discusiones inútiles. Ella lamentaba haber llegado al punto al que habían llegado las cosas—. Mañana será otro día y debo prepararme para mentirle a la prensa.

—No me has contado de qué se trata ese asunto. —Devin aprovechó la salida que Álex le ofrecía para dejar la discusión de lado—. ¿Por qué tienes que hablar tú con la prensa?

—Porque Bennet me tiene entre ceja y ceja por haberlo avergonzado frente a todos.

—Eso no es justo, fuiste tú quien le gritó, pero podría haber sido yo.

—Pero fui yo. Y soy una mujer. Y no solo herí al jefe. Herí al macho. Y ese, mi amigo, es un pecado mucho más grave.

—Carter, oye, no me estaba riendo de ti. De verdad creo que fue una indigestión. Comí una cantidad descomunal de costillitas con salsa barbacoa.

—Soy empática, Devin. No tonta. Y soy psicóloga. Tú piensa lo que quieras. Lo que más tranquilo te deje. Pero ese sueño no fue causado ni por una indigestión ni por ninguna otra cosa. Te lo digo yo. Deberías confiar más en tu intuición. Y tener cuidado, tu sueño me dice que el homicida anda cerca.

—Pensaré en lo que me has dicho.

—Sería bueno que lo hicieras.

—Buenas noches, Álex.

—Buenas noches.

Después de cortar la comunicación, ella no pudo volver a dormir. No le gustaba lo que le ocurría. Nunca había sido una mujer impaciente ni agresiva. Pero en los últimos tiempos, concretamente desde que había entrado a la Policía, se enfadaba con demasiada facilidad. Y todo el tiempo se sentía al borde de la explosión.

¿Por qué le ocurría eso? Suponía que tenía algo que ver con su empatía y con su intuición, pero no estaba segura. Y no quería pensar en eso.

Cuando el caso terminara, evaluaría el asunto con frialdad. Pero por ahora…

Por ahora prefería no pensar.

En lo único que debía concentrarse era en hallar a Sarah Morrison.

Devin tampoco pudo volver a pegar un ojo aquella noche.

El sueño lo perturbó. Y le dio mucho en qué pensar. Pero lo que Álex le dijo había calado hondo en él. Sobre todo porque, en algún punto, era cierto.

Todo el tiempo había estado evaluando a su compañera. Y a pesar de que ella le demostró ser muy capaz, nunca la había tomado del todo en serio, simplemente por no comprender lo que a ella le ocurría.

En el fondo era cierto que se había reído de ella. Y ahora se daba cuenta de que eso no había sido justo.

Álex era intuitiva, inteligente, simpática, valerosa y comprometida con su trabajo.

No. No había sido justo con ella. Y debería corregirlo pronto.

Pero lo haría después. Ahora solo podía pensar en lo que ella le había dicho.

Según su compañera, el homicida andaba cerca.

Fue una lástima que Devin no supiera cuánto.

32

A LA MAÑANA SIGUIENTE, Álex fue temprano a la estación de Policía. Morgan ya no estaba, pero ella quería indagar un poco más el asunto de las fotos.

Quería conversar del tema con Devin, pero como él aún no había llegado, decidió adelantar un poco la investigación. La noche anterior, antes de irse, dejó a Nichols la foto que había causado aversión a Morgan, a fin de que la procesaran, y cotejaran el retrato con los archivos de la Policía. De ese modo, si el sujeto de la foto tenía antecedentes, lo sabrían de inmediato.

—Carter —la llamó Nichols apenas la vio cruzar el vestíbulo—. Ven, quiero mostrarte algo.

—¿Tuviste novedades con la foto? —preguntó ella acercándose al escritorio del oficial.

—Encontré algunas cosas —dijo él y sacó una carpeta que abrió frente a Álex.

—Dime.

—Verifiqué la foto que a Morgan le causó aversión. Su rostro no aparece en nuestros registros. Pareciera estar limpio.

—Es decir, que seguimos sin saber quién es. Debemos convencer a Bennet para conseguir una orden. El ayuntamiento debe darnos esa información ahora.

—No. No es necesario, Carter, ya sabemos quién es.

—¿Cómo? La empleada del ayuntamiento se negó a darme los nombres si no llevaba una orden.

—Tengo una amiga en el ayuntamiento —dijo Nichols, sonriendo, y le guiñó un ojo a Álex—. Te sorprendería lo que una cena y una generosa sesión de sexo oral pueden lograr en una dama.

Ella se rio.

—El sujeto se llama John Stevenson —dijo Nichols recuperando la compostura—. Y está limpio. Pero puedo decirte algo, Carter, él no es Tank.

—¿Cómo que no es Tank?

—Mi amiga indagó un poco. Y descubrió que Tank es otro de los jardineros. Su nombre es Alberto García. Todos dicen que es un buen sujeto.

—¿Y entonces?

—Ese trabajo se lo dejo a los detectives, Carter. Te conseguí los nombres y los legajos de todos. Unir los puntos y llenar los huecos es trabajo que les dejo a ti y a Walsh.

—Has hecho mucho más de lo que se suponía que hicieras, Nichols —dijo Álex y agarró los legajos que le facilitó el oficial—. Te debo una. Si lo ves a Walsh, dile que me busque, quiero hablar con él.

Álex se acomodó en el despacho vacío que, algunas veces, Walsh y ella habían utilizado para trabajar.

Al principio le sorprendió que Tank no fuera el del retrato que había molestado a Calvin Morgan. Pero pensándolo mejor, en realidad no debería sorprenderla.

El día anterior, ella le había comentado a Walsh que le llamaba la atención el cambio de actitud de Morgan. Cuando el jardinero le habló de Tank, lo había hecho relajado, casi feliz. Pero al ver la foto se quedó mudo y había mostrado miedo y angustia.

Claro, ahora comprendía todo. Su reacción fue distinta porque se trataba de dos personas diferentes.

Álex comenzó a creer que todo el tiempo habían estado buscando a la persona equivocada.

Probablemente no fuera a Tank al que había que investigar, sino al tal Stevenson. Aunque, probablemente, Devin quisiera entrevistarse con los dos.

¿Y dónde demonios estaba Walsh?

Con todo lo que ocurría, Álex no podía entender que no estuviera en la estación de Policía.

Entonces, como si Walsh le hubiera leído el pensamiento, le envió un mensaje a su móvil.

ESTOY CON FELIPE VERIFICANDO UNA PISTA RELACIO-NADA CON LOS MATADEROS: TE VEO MÁS TARDE EN LA ESTACIÓN. QUIERO HABLAR CONTIGO.

Álex leyó el mensaje y volvió al trabajo. Walsh le comentó algo en relación con los mataderos, pero no le había explicado mucho al respecto.

Ahora ella no podía concentrarse en ese asunto: por ahora tenía bastante entre manos revisando los legajos. Y, para colmo, también debía encargarse de la maldita conferencia de prensa.

Comenzó a revisar los expedientes, quería conocer mejor

a Tank y a Stevenson.

Como perfiladora criminal, intentaba encontrar en esos documentos información que le permitiera llenar algunos huecos.

Concienzudamente, leyó el legajo de Tank. Y nada llamó su atención. Allí estaban detallados trabajos anteriores, su edad, observaciones y calificaciones sobre su tarea en el parque. Parecía un buen empleado, y su registro era impecable. Había llegado desde México hacía unos cinco años y siempre trabajó como jardinero.

Álex supo de inmediato que no había nada allí. Tank no tenía nada que ver con el asunto.

Entonces tomó el legajo de Stevenson. En una primera lectura, Carter no encontró nada extraño. El sujeto trabajaba bien, no tenía comentarios negativos, aunque sí ciertas observaciones sobre su carácter: Stevenson era un sujeto callado, concentrado en su trabajo, y no era afecto a socializar... Nada importante. Aunque, pensándolo bien, podía serlo. Aquellos eran rasgos típicos de un sujeto capaz de estallar en cualquier momento.

O peor aún, capaz de matar.

Y entonces, en la mente de Álex empezaron a sonar todas las alertas.

Al mirar la experiencia laboral de Stevenson, ella descubrió que el sujeto había trabajado siete años en un matadero.

Tres veces Álex trató de comunicarse con Devin. Pero cuando lo llamaba, un mensaje grabado le informaba que no podía atender y le pedía que dejara un mensaje de voz.

Ella, las tres veces, dejó el bendito mensaje pidiéndole que la llamara urgente.

Pero él no lo hizo.

Mientras esperaba que se comunicara con ella, ella continuó leyendo.

Morgan tenía miedo al ver la foto de Stevenson. ¿Por qué? En el legajo de este no figuraba ninguna sanción disciplinaria. Tampoco constaba ninguna pelea ni nada que hiciera presumir que el sujeto hubiera tenido algún problema con sus compañeros de trabajo o que fuera violento. Al menos ninguno tan serio como para causar semejante miedo en Calvin.

Entonces ella pensó que, tal vez, podría encontrar alguna respuesta en el legajo de Morgan.

A lo mejor allí alguien podría haber escrito algo que echara luz sobre el asunto.

Pero más que luz sobre el asunto, lo que el legajo de Morgan hizo cuando Álex lo revisó fue correr un telón polvoriento que dejó entrar todo el sol de la mañana en un cuarto que, durante mucho tiempo, había permanecido en la oscuridad.

Porque muy claro, en letras de molde, el legajo le informó a Álex que Calvin Morgan, durante seis años, había trabajado en el mismo matadero que John Stevenson.

33

Álex volvió a llamar a su compañero y, por cuarta vez, él no respondió.

—¿Dónde rayos estás, Devin? Necesito hablar contigo. Por favor, llámame.

Frustrada, ella cortó la comunicación.

Lo mejor sería esperarlo, pero la vida de Sarah Morrison estaba en peligro, así que, como se trataba literalmente, de una cuestión de vida o muerte —esperando siempre que Sarah aún estuviera viva, claro está—, ella decidió actuar sola. Lo primero que hizo fue llamar a Nichols y preguntar el nombre de su amiga. Prefería hablar con ella que con la idiota con la que habló la primera vez.

Luego, con el nombre de la mujer en mano, se comunicó al ayuntamiento y pidió hablar con ella.

—Soy Alexis Carter —contestó, cuando le comunicaron con la mujer—. El oficial Nichols me dijo que tal vez usted podría ayudarme.

La mujer soltó una risita nerviosa, pero no dijo nada.

—¿Puede ayudarme? —insistió.

—Sí, claro —dijo finalmente la mujer—. ¿Qué necesita?

—Bien, lo que preciso es que me facilite toda la información que tenga sobre John Stevenson.

—Todo lo que sabemos de él es lo que figura en el legajo.

—Pero me gustaría algo más... personal. Por ejemplo, me gustaría saber si vive solo, si tiene novia. Esas cosas.

—Eso no lo sé. Además, el sujeto no es muy sociable, la verdad. Es bastante raro. De hecho, desde aquel día que desapareció la niña... Sarah Morrison, no ha vuelto a presentarse en su trabajo. Con Morgan detenido y Stevenson fuera, hemos tenido varios problemas para cubrir los turnos. Por suerte no...

—¿Stevenson no se ha presentado a trabajar desde el día en que desapreció Sarah?

—No, el día que desapareció Sarah se presentó a trabajar. Déjeme confirmarlo, por favor.

Ansiosa y algo preocupada, Álex esperó a que la mujer volviera a hablarle. La escuchaba teclear, pero no quería interrumpirla.

—Sí, aquí está, en el registro de asistencia figura que ese día Stevenson se presentó a trabajar. Pero después de que detuvieron a Morgan ya no volvió a presentarse. Intentamos comunicarnos a su móvil, fuimos a su casa incluso, pero no hemos vuelto a saber de él.

—Gracias —dijo Álex intuyendo que ya no obtendría más información de la mujer—. Ha sido muy amable.

Ella cortó la comunicación y, durante unos minutos, se quedó pensando en el siguiente paso.

Devin seguía sin responder sus llamados. ¿Dónde demonios estaría él? Así que se le ocurrió llamar a Jessica Ortiz. La chica era astuta, y tal vez pudiera ayudarla en el siguiente paso.

Así que se decidió a llamarla. Jessica entendió muy bien lo

que ella le explicaba y le dijo que en veinte minutos estaría allí.

Mientras Álex esperaba, Devin finalmente se comunicó.

—¿Dónde estás? —preguntó ella sin saludar siquiera—. ¡Te he dejado un montón de mensajes!

—Volviendo de Salina, fui a un matadero a verificar algo con Felipe. ¿No recibiste mi mensaje?

—Sí, pero…

—No pude llamarte antes, Carter. La señal es terrible y no…

—Vuelve aquí de inmediato, Walsh. —Álex estaba un poco asustada. Todo se había precipitado de golpe y ella no tenía la experiencia suficiente como para decidir qué hacer. Tendría que haber consultado el asunto con Bennet, pero él la tenía entre ceja y ceja. Y ella tampoco confiaba mucho en él.

Además, si le contaba al jefe, él quizá demoraría tanto las cosas que Stevenson tendría tiempo de sobra para huir. Pero ¿huir de dónde? Si Álex ni siquiera sabía dónde ubicarlo.

—¿Pero qué ocurre? —preguntó Walsh.

—¡Creo que lo tenemos!

—¿Cómo que lo tenemos? Explícame, no entiendo nada, Carter.

—Es largo de explicar, pero… ¿Walsh? ¡Walsh!

Álex golpeó el teléfono.

—¡Maldita señal! —dijo mientras intentaba, sin suerte, volver a comunicarse con el detective.

En ese momento, Jessica entró en el despacho dispuesta a ayudar en todo lo que pudiera.

Álex le explicó la situación. Ortiz había estado en el cuerpo mucho más tiempo que ella y conocía todos los procedimientos que ella ignoraba. Seguramente podría aconsejarla y decirle qué hacer.

Pero Jessica tampoco sabía.

—No vayas con Bennet —le sugirió la analista—. Espera a que Walsh llegue, él sabrá qué hacer.

—No podemos esperar, Jess —le explicó—. En el ayuntamiento me han dicho que Stevenson no se ha presentado a trabajar y que no responde su móvil. Tampoco está en su casa. Si lo perdemos, si se asusta, perderemos a Sarah.

—¡Pero ya lo has perdido!

—Tal vez no, encontré una vinculación entre Stevenson y Morgan. Puede que este sepa algo.

—Pero Bennet lo soltó anoche. ¿Dónde vas a encontrarlo?

Álex tomó su chaqueta y su bolso.

—Espero que en su casa.

—¿Estás loca? ¡No puedes ir tu sola! Voy contigo. O mejor vamos las dos a hablar con Bennet. Olvida lo que te dije antes.

—No, preciso que te quedes aquí para que cuando llegue Walsh le expliques la situación. Te dejo esta carpeta con todos los legajos y la información que ha recabado Nichols.

La analista forense asintió, pero se sentía preocupada. Y Álex lo notó.

—Escucha —le dijo como para tranquilizar a Jessica—. Conozco a Morgan, ya lo he interrogado varias veces. No te preocupes. Trataré de averiguar algo mientras Walsh vuelve. De todos modos debo estar aquí al mediodía para la rueda de prensa. No estaría mal tener algunas respuestas antes de enfrentarme a las fieras. ¿No crees?

Jessica sonrió y asintió.

Entonces ella se dirigió a la puerta.

—Ten cuidado, Carter.

—Lo tendré, descuida.

Álex se fue. Y Jessica se quedó sola en el despacho vacío. Ella no era ni empática ni intuitiva, pero en ese preciso instante tuvo la corazonada de que las cosas saldrían muy mal.

34

Álex, cruzando la ciudad, condujo hasta la casa de Calvin Morgan. Su domicilio constaba en los registros policiales, así que no tuvo ninguna dificultad en encontrarlo.

Morgan vivía en las afueras de Topeka, más cerca de la zona rural que del centro, en una casa pequeña de paredes blancas y desconchadas, y con un jardín delantero bastante descuidado.

Cuando Álex se bajó del auto, el césped largo y las plantas secas le molestaron. El hecho de que, precisamente, un jardinero tuviera su propio jardín en semejante abandono le pareció extraño. Y también algo perturbador.

Despacio, ella atravesó el sendero que separaba la acera de la puerta principal, cuidando no clavarse las espinas de una zarza que crecía sin control cerca del camino de entrada.

Al llegar junto a la puerta, tocó el timbre.

Álex no escuchó ningún sonido, así que asumió que no funcionaba. Entonces tocó la puerta.

Todo en la casa, y en los alrededores también, era silencio. No había nadie circulando por la calle, ni niños jugando, ningún vecino parecía haberla visto, no había perros ladrando a los extraños.

Nada.

El tiempo parecía haberse detenido en ese vecindario.

Álex se sintió intranquila mientras esperaba a que Morgan le abriera.

Aguardó unos segundos junto a la puerta y, como nadie contestó, volvió a tocar.

¿Morgan no estaría en casa? A Álex le llamó la atención que no estuviera.

Supuso que, como lo habían soltado la noche anterior, seguramente estaría descansando o dándose un buen baño o comiendo en abundancia. Aunque, si lo pensaba bien, aquella suposición no tenía ningún fundamento. ¿Por qué iba a estar en casa? Tal vez había salido a comprar víveres. O a visitar a alguien.

Y, sin embargo, a Álex algo le decía que sí, que Morgan estaba por ahí. Y cuando su intuición hablaba, ella obedecía.

Siempre.

Así que, sin pensarlo mucho, rodeó la propiedad y se asomó a una ventana.

Entonces se quedó estática.

Lo que vio adentro la paralizó. Apenas por unos pocos segundos, pero hizo que las piernas se le clavaran en el sitio en donde estaban y que fuera incapaz de moverse o de articular palabra.

Enseguida se obligó a reaccionar porque tenía que salir de allí. Todo en ella le indicaba que corriera.

Y lo hizo.

Corrió de vuelta a la calle, a su auto. Y entonces volvió a detenerse, indecisa sobre lo que tenía que hacer.

¿Debía subirse a su auto y largarse de allí o llamar a Walsh y pedirle que fuera?

Tomó la decisión de llamar a su compañero y prefirió quedarse a vigilar. En caso de que Morgan volviera, podría controlar sus movimientos, y si él llegaba a largarse, ella sería capaz de seguirlo.

Con un poco de suerte, el maldito la guiaría hasta Sarah Morrison.

Nerviosa, buscó el móvil en su cartera. Cuando lo encontró, las manos le temblaban tanto que tuvo que marcar tres veces antes de hacerlo correctamente.

Devin atendió al primer llamado.

—Estás en muchos problemas, Carter —dijo Walsh no bien contestó—. ¿Cómo rayos se te ocurre irte sola? ¿Por qué demonios no me esperaste? Jessica me dijo que…

—Ven ya a la casa de Morgan —le interrumpió sin escuchar una palabra de lo que decía su compañero—. Y trae refuerzos.

—¿Pero qué, por qué? ¿Qué sucede? No entiendo nada, Álex.

—¡Son dos asesinos, Devin!

—¿De qué rayos hablas, Carter?

—Yo pensé que si venía hasta aquí ayudaría a encontrar a Sarah. Mi padre siempre me decía que no debía actuar sola, que debía aprender a pedir ayuda. Pero nunca entendí por qué, hasta ahora. Cuando era pequeña…

—Detente, Álex —pidió Walsh, exasperado—, no es momento para tus divagaciones.

—Lo sé. ¡Lo sé! Son mis malditos nervios. No puedo explicarte ahora, pero son dos, Devin. Son dos homicidas de niños. ¡Stevenson y Morgan trabajan juntos! Su casa es un maldito monumento a la evidencia, Devin. Son ellos. Fueron ellos todo el tiempo. Cuando arrestamos a Morgan, Stevenson desapareció. Supongo que se asustó porque creyó que estábamos cerca.

Siempre tuviste razón: Morgan ocultaba algo. Y yo soy tan tonta que no supe verlo.

—¡No eres tonta, Carter! Imprudente, tal vez, pero no tonta. Descubriste todo esto tú sola. Ya me explicarás cuando llegue. Quédate ahí que ya vamos. Pero escóndete, ¿me oyes? Entiendo que te guste ser una heroína, pero no quisiera que fueras una heroína muerta.

—Descuida, Morgan no sabe que lo he descubierto. Te espero aquí, sentada en mi auto. Estoy bastante asustada, así que no haré ninguna tontería. Y ante la primera señal de peligro conduciré tan lejos de aquí como pueda. Lo prometo.

Álex cortó la llamada y guardó el móvil en su bolso al mismo tiempo que buscaba las llaves de su automóvil.

—¡Morgan ya sabe que lo has descubierto, puta! —dijo alguien detrás de ella mientras le cruzaba un brazo de acero alrededor del cuello.

Álex intentó zafarse metiendo sus dos manos entre el brazo que la aprisionaba y su cuello. Pero fue inútil.

Intentó moverse, o al menos girar su cabeza lo suficiente para ver quién la aprisionaba. Suponía que se trataba de Stevenson, porque Morgan seguro que no era. Estirando su cuello hacia atrás pudo alcanzar a ver una mata de cabello oscuro y unas gafas de acrílico, una especie de antiparras, de esas que se usan los cirujanos para proteger sus ojos de la sangre de sus pacientes.

El sujeto, Stevenson probablemente, era fuerte, y a pesar de que Álex luchó, no consiguió liberarse.

Así que, como último recurso cuando el sujeto comenzó a arrastrarla, ella mordió con fuerza —al punto de hacerlo sangrar— el antebrazo que la retenía.

No fue una buena idea. El sujeto se enfadó y resolvió el problema con un solo golpe que le dejó desmayada, pero viva y a merced de su secuestrador.

Unos minutos después la calle volvía a estar desierta y en silencio.

Y de lo que había ocurrido, solo quedaban unos pocos rastros.

Un auto abandonado y un bolso de mujer con su contenido desparramado sobre el asfalto.

35

CON LA SIRENA SONANDO FURIOSA, ignorando todos los semáforos y a una velocidad más que imprudente, Devin Walsh cruzó la ciudad de Topeka. El detective no paraba de pensar en Álex: ¿Cómo demonios se le había ocurrido ir sola? ¿Por qué cuernos no lo esperó?

Jessica, en el asiento del acompañante, intentaba convencer a Walsh para que se tranquilizara. Nada hacía pensar que Carter no estuviera a salvo mientras los esperaba. A fin de cuentas, ella le había dicho que se quedaría en su vehículo y prometido que no haría nada estúpido.

—Pocas cosas pueden ser más estúpidas que lo que ya ha hecho —dijo Devin intentando, sin éxito, mantener la calma.

Porque era cierto, lo que Jessica decía era verdad. Pero él tenía una sensación fea. Recordaba el sueño con el león y las palabras de Álex: el asesino estaba cerca. Y eso lo inquietaba.

Al acercarse a la casa de Morgan, él sintió cierto alivio al ver el auto de su compañera aparcado junto a la acera. Pero el alivio le duró poco al advertir que la puerta del conductor estaba abierta.

Walsh se estacionó detrás del auto de Álex y salió disparado de su asiento casi antes de apagar el motor.

Y entonces, al ver el bolso de Carter tirado en el suelo, se agarró la cabeza.

Miró alrededor, como intentando buscar a su compañera, pero él sabía que no estaba ahí.

Entonces volvió a mirar el bolso y su vista quedó fija en un frasco de esmalte para uñas que se había roto al golpear el piso.

La pintura roja se esparcía sobre la vereda en una mancha que parecía el augurio de una tragedia.

De otra más.

—¡Maldita sea! —dijo justo en el momento en que Jessica se paraba a su lado—. ¿Por qué rayos tuvo que venir sola?

Poco tiempo después la casa de Morgan estaba rodeada de policías, analistas forenses y curiosos.

Algunos uniformados habían colocado las cintas amarillas que delimitaban las escenas de crímenes, y varias personas trabajaban en el lugar.

Todo ese despliegue no se debía solamente a la desaparición de Alexis Carter, no. Ocurría que cuando Walsh vio lo que la casa ocultaba, tuvo que tomar medidas más serias porque dentro de la vivienda las paredes estaban empapeladas con imágenes escalofriantes.

Morgan se había tomado el trabajo de cortar fotos de niños de las revistas, y a todos les había recortado los ojos.

Eso explicaba lo que Álex le había dicho: la casa de

Morgan era, efectivamente, un maldito monumento a la evidencia.

No solo había fotos. También encontró varios rollos de la misma cuerda con que ataron a todas las víctimas y una impresionante colección de cuchillos. Pero ni rastros de sangre: era evidente que los asesinos no mataban en ese lugar.

Si Sarah Morrison no hubiera desaparecido después del arresto de Morgan, a nadie se le ocurriría que los asesinos eran dos.

Con todo lo que había en aquella casa, cualquier jurado tendría evidencia para condenarlo.

No se podría alegar duda razonable en aquel caso.

De ninguna manera.

Por supuesto que todavía había puntos oscuros, pero el panorama general estaba bastante claro.

Ahora lo más importante era encontrar a Álex y a Sarah Morrison.

Jessica Ortiz trabajaba concienzudamente junto al auto de Álex, buscando cualquier prueba que los ayudara a descubrir adónde demonios se la habían llevado. Pero no halló nada.

Solo su bolso abandonado junto al auto. Y eso servía de poco. Bueno, en realidad, el bolso era la única evidencia que tenían de que a Álex alguien, Calvin Morgan posiblemente, se la había llevado a la fuerza.

Walsh, de pie junto a ella, que trabajaba de rodillas, hablaba por teléfono.

—He revisado todos los legajos, Nichols. Pero el matadero donde Stevenson y Morgan trabajaron hace años ya no existe. Necesito que averigües si alguno de los actuales funciona en las instalaciones del viejo matadero. O que encuentres, de inmediato, a alguien que haya trabajado en ese lugar en la época de ellos. Llámame apenas tengas algo.

Devin cortó la llamada y miró a Jessica, que seguía trabajando a su lado.

—Los últimos días hemos recorrido con Felipe todos los malditos mataderos desde aquí hasta Salina, pero no sé si alguno funciona donde solía funcionar el otro. Ese cerró hace unos años, más o menos para la época en que Morgan y Stevenson dejaron el trabajo. No sé dónde buscar, Jess. Álex puede estar en cualquier lado.

—En cualquier lado no. —Jessica se puso de pie y se quitó los guantes de látex. Ya había terminado con su trabajo—. Descarta los que están alejados, Devin. Si Morgan o Stevenson la atraparon aquí, deben estar cerca.

—Álex me dijo lo mismo, que el Homicida de Niños estaba cerca.

—No sé cómo demonios lo sabe, Walsh, pero Álex tiene una habilidad especial para saber ciertas cosas.

—Anoche tuve un sueño —explicó el detective—. Y se lo conté a Carter. Fue por eso por lo que ella dijo que el asesino está cerca. Y dijo también que yo poseo el mismo don que ella tiene.

—Sea lo que sea, úsalo. Porque no quiero asustarte, pero puede que seas el único capaz de encontrarla a tiempo.

En ese preciso instante, Todd Bennet cruzó la faja policial.

Apenas verlo, Walsh se acercó a él con toda la intención de darle un golpe. Pero no lo hizo.

—Evidentemente, tú no tienes cara, Bennet. —Walsh, a los lados del cuerpo, tenía los puños blancos de tanto apretarlos—. ¿Qué rayos haces aquí?

En ese momento Walsh notó que, más allá de la zona delimitada por la policía, la calle estaba plagada de reporteros.

En el momento en que Devin se acercó a Bennet, le

sorprendieron un montón de *flashes* de cámaras fotográficas y un rugido proveniente de las preguntas disparadas por decenas de reporteros ávidos de información.

Bennet, con su mejor sonrisa —e ignorando por completo a Walsh—, se dio vuelta para enfrentarse a la prensa.

—Tenemos al asesino en la mira —dijo—. Hemos descubierto que no es uno, sino dos. Pero ya lo tenemos en la mira, no volverán a atacar en esta ciudad.

Devin, con mucha fuerza, sujetó el brazo del jefe y lo alejó de los reporteros.

Evidentemente, Bennet estaba completamente loco. ¿No se daba cuenta de que hablar con la prensa podía empeorar —si es que acaso era posible— la situación de Álex y de la pequeña Sarah Morrison?

—Lo único que te importa es tu imagen, ¿no es así? —No había sido una pregunta en realidad—. Pero te advierto una cosa, Todd, si Carter resulta muerta, yo personalmente me encargaré de que lo pagues.

—No me amenaces.

—No es una amenaza, jefe, es un aviso. Y ya estás avisado.

36

Una gota golpeaba contra algo. Y luego otra. Y otra más. Álex se despertó en medio de la oscuridad, y un poco confundida. La cabeza le latía y un dolor sordo le provocó náuseas. Ella quiso tocarse la cabeza y no pudo. Tardó en comprender que se encontraba sujeta con grilletes a una pared.

Su mano derecha y su tobillo estaban atrapados.

Entonces recordó todo lo que había ocurrido. Recordó las imágenes en la casa de Morgan, la llamada a Walsh, el golpe en la cabeza...

Entonces percibió un fuerte olor a sangre. Tan intenso que le provocó arcadas, y no pudo contener el vómito.

Con el dorso de la mano libre se limpió la boca y así entendió que estaba atrapada en un matadero. ¿Pero en cuál? Ni siquiera sabía qué hora era ni cuánto había viajado para llegar allí. Como se desmayó apenas la golpearon, había perdido completamente la noción del tiempo.

Podría haber estado inconsciente una hora o un día, era igual. Ella no tenía ni idea.

En ese preciso instante sintió un terror que no había sentido nunca en toda su vida. Empezó a llorar por el miedo y por la impotencia.

Y entonces gritó. Gritó para que alguien la escuchara, sí. Para que la salvaran. Pero también gritó por furia y por impotencia.

Gritó tanto que le ardió la garganta. Y aun cuando creyó que ya no podía gritar, volvió a hacerlo. Tan fuerte que se quedó casi sin voz.

Pero nadie pareció escucharla. Nadie se acercó.

Álex entendió que estaba sola.

Y supo que iba a morir.

37

En la casa de Morgan, Walsh se sentía inútil. Pensó que en la estación de Policía podría resolver las situaciones que se presentaran con mayor facilidad que en esa pocilga, que ya no le aportaba nada nuevo.

Así que, un par de horas después de que Bennet se hubiera ido, decidió volver a la estación.

Felipe y Jessica volvieron con él. Querían acompañarlo. Dejarlo solo en el estado en que se encontraba no era una buena idea.

Era obvio que se culpaba, aunque no tenía por qué.

Álex había tomado sola la decisión de ir a la casa de Morgan. En contra, incluso, de las advertencias que Jessica le hizo.

Pero Walsh, de todos modos, se culpaba.

Claro, ni Jessica ni Felipe habían tenido la conversación que él tuvo con su compañera la noche anterior, ni sabían de ella.

Ninguno había escuchado los reproches justos que ella le hizo. Ninguno de ellos la había tratado tan mal como lo hizo él simplemente por no comprender su método. Entonces, ¿cómo demonios no iba a sentirse culpable? Era posible que Álex hubiera ido sola a esa condenada casa para probarle algo a él. Para probarle que su método funcionaba. Probablemente, entonces, todo fuera su culpa. Pero no todo estaba perdido. Si él lograba rescatarla, si lograba sacarla de donde fuera que esos hijos de puta la mantenían cautiva, a lo mejor tendría la oportunidad de enderezar las cosas.

El detective, con todas sus fuerzas, esperaba que así fuera.

Y eso estaba pensando cuando se bajó del elevador.

En el instante en que puso un pie en el vestíbulo, Nichols lo llamó.

—Escucha, el matadero en el que trabajaban Stevenson y Morgan funcionó en dos lugares diferentes. En los primeros años ocupó el edificio que ahora ocupa el matadero Smith & Sons. Saliendo de la ciudad, sobre la carretera 70, camino a Junction City. Luego parece que tuvieron una crisis, algo pasó, y se mudaron al edificio que hoy ocupa Moyer's. También sobre la 70, pero llegando a Lawrence. No logré dar con nadie que haya trabajado con los sospechosos, Walsh. Pero sí pude averiguar que a ambos los despidieron en una reducción de personal, justo antes de que el matadero se mudara a su segunda ubicación.

—Se trata de los dos únicos mataderos que no pudimos ver —dijo Felipe, que había escuchado junto con Walsh y Ortiz la explicación de Nichols—. Es evidente que, en este maldito caso, la suerte nunca nos acompaña.

—No podemos ir a los dos, ¡están en puntos opuestos de la ciudad! Perderemos un tiempo precioso.

—Vamos a Smith & Sons —dijo Jessica—. Si trabajaron allí en algún momento es lógico que ese sea el sitio que buscamos. Deben ocuparlo cuando cierran sus puertas, en la noche, y tienen que conocer bien el sitio para hacer lo que hacen sin que nadie los atrape.

—Tiene lógica, Jess —dijo Devin—. Pero no podemos arriesgarnos a estar equivocados. Debemos separarnos.

—Ve tú con Jessica a Smith & Sons —dijo Felipe Lamont—. Yo iré a Moyer's.

—Y yo voy contigo —dijo Nichols, que enfundó su arma y saltó por encima del escritorio.

—¿No le avisamos a Bennet? —preguntó Jessica.

—Lo llamaré yo cuando estemos en camino —dijo Walsh—. No voy a permitir que ese idiota nos detenga.

Nichols asintió, como aprobando las palabras del detective.

Después, con prisa, los cuatro abandonaron la estación de Policía.

38

ÁLEX HABÍA DEJADO DE LLORAR. Tampoco gritaba. ¿Para qué? Si, total, nadie podía escucharla.

Por suerte ya no percibía el olor a sangre que impregnaba el matadero. Probablemente su olfato ya se había acostumbrado al olor.

La oscuridad ya no parecía tan sombría: sus ojos se habían adaptado y lograban percibir formas en la penumbra.

A lo que no se adaptó su cuerpo era al frío. Un frío intenso que se le metía en los huesos y que, poco a poco, le iba quebrando el espíritu.

Era un frío que nada tenía que ver con la temperatura ambiente. Era un frío provocado por el terror que sentía. Por la certeza de que, en cualquier momento, podía morir de forma violenta.

Álex pensó en su familia, en su madre que ya no estaba. Y se alegró de que hubiera muerto, de ese modo no sufriría y, tal vez, si lo que decían las religiones era cierto, estaría esperándola del otro lado.

¿Quién demonios la mandó a meterse en la Policía? ¿Por

qué tuvo la estúpida idea de abandonar su consultorio, en la que se aburría un poco —cierto—, pero que la mantenía segura?

Y el mismo impulso que la había llevado a trabajar en la Policía fue el que la hizo ir sola a la casa de Morgan, y terminar en la situación en la que se encontraba.

No podía culpar a nadie. A nadie. Ella se había metido en problemas sola. Y sola tendría que salir.

En ese momento, Álex escuchó un ruido y miró en la dirección de donde provenía el sonido, justo en el momento en que se abría una puerta y se encendía la luz.

Con la mano libre, ella se tapó los ojos porque, después de haber estado tanto tiempo a oscuras, la luz la encandiló.

Cuando sus ojos se adaptaron, retiró la mano y miró al hombre que entró.

Lo identificó al instante: se trataba de Calvin Morgan.

El jardinero, sonriendo, se acercó a Álex. En una mano sostenía un peine. Y en la otra, una cuchilla.

Ella intentó no moverse. Y pensar. Sobre todo pensar.

Como psicóloga, debía tener alguna herramienta que la ayudara a lidiar con un psicópata. Pero estaba tan asustada que no se le ocurrió ninguna. En lo único que podía pensar era en salvar su vida.

En su cabeza repetía: «nomemates-nomemates-nomemates», como si fuera un mantra. Como si aquellas fueran las palabras adecuadas y secretas para invocar un hechizo de salvación.

Pero no dijo una palabra. Álex estaba aterrada. Tanto que no podía ni separar los labios para suplicar.

Era de noche cuando Devin y Jessica, desde la seguridad de su vehículo, observaban el matadero Smith & Sons.

Todo se veía tranquilo. No había ningún coche aparcado en los alrededores y todas las luces estaban apagadas.

—No me gusta —dijo Devin—. Esto no está bien, Jess.

—Pero tiene que ser aquí. Acabo de hablar con Felipe. En Moyer's no hay nada.

Felipe Lamont le había explicado a Jessica que, cuando Nichols y él llegaron a Moyer's, el matadero estuvo funcionando. Hablaron con el gerente, y luego de explicarle la situación, el hombre les había permitido revisar las instalaciones. Y no hallaron nada.

—¿Vienen hacia aquí? —le preguntó Walsh a Jessica—. Prefería tener más apoyo si vamos a entrar.

—Están en camino, no te preocupes.

Calvin tarareaba una melodía. Bajito, casi en un susurro, pero la música estaba ahí. Tan fuera de lugar que hacía daño.

De espaldas a Álex, se movía de aquí para allá preparando algunas cosas. Primero buscó un cubo de latón y lo llenó con agua. Luego abrió un armario que había en una esquina, y de ahí sacó una pastilla de jabón, una esponja y una toalla.

Finalmente se encaró a Álex y le habló.

—No puedo ofrecerle Coca-Cola —dijo él y se encogió de hombros—. Pero creo que puedo ofrecerle algo mejor. Yo elijo personas buenas, ¿sabe? Por eso en general son niños. Pero usted fue buena conmigo, Alexis. Me trató bien, me dio Coca-Cola y papas fritas. Así que yo he decidido compensarla. Yo voy a salvar su alma de la eterna condenación. Son pocos los elegidos. No vaya a creer que esto se lo ofrezco a cualquiera.

—No… No entiendo, Calvin. —Ella tuvo que hacer un

esfuerzo para poder articular esas pocas palabras—. ¿Salvarme de qué?

—Todos moriremos en algún momento, ¿no? —dijo Calvin, que con cuidado sostenía la cuchilla en sus manos, mientras limpiaba la hoja con agua tibia—. ¿Qué mejor que dejar este mundo cuando uno aún está en gracia? Durante muchos años trabajé en un matadero. Funcionaba aquí, justo aquí, y en esos años matamos a muchos carneros. Los carneros son criaturas inocentes, ¿sabe? Cuando los atábamos, los animales mostraban terror en sus ojos. Espanto, diría yo. Pero después, una vez que les cortábamos el cuello, una vez que la sangre abandonaba sus pequeños cuerpos, su mirada volvía a ser inocente. Pacífica.

—No entiendo qué quieres decir, Calvin. —Álex estaba aterrada. Pero quería ganar tiempo, y para eso era conveniente darle conversación a Morgan.

—Fue entonces que descubrí que la muerte es una liberación. Un premio. —Morgan dejó el cuchillo, limpio como una patena, sobre una mesa y comenzó a lavar el peine—. Entendí que yo era un elegido, Alexis. Que Dios me había puesto en este lugar para elegir a las almas que aún son puras, y que son las únicas que pueden elevarse para conocer a nuestro Salvador. Mi deber, mi santo deber, es ayudarlas en ese paso.

—¿Y por qué les...? —Álex reprimió un sollozo—. ¿Por qué les quitas los ojos, Calvin? Tú mismo dijiste que en los ojos puedes ver la tranquilidad después de que han muerto.

—En los carneros, sí. En ellos puedo ver la tranquilidad una vez que han muerto. —Calvin se rascó la nariz y luego se refregó en ella la manga de su overol—. Pero, por alguna razón, en los humanos el terror permanece. Una vez muertos, el terror que se reflejaba en sus ojos antes queda fijo y permanente, como una foto. Así que debo sacarlos. No puedo permitir que lleguen ante el Salvador con semejantes miradas de espanto. ¿No lo cree? Nuestro Señor podría ofenderse. Por eso es por lo que los peino, los lavo. El encuentro con el Salvador es un hecho importante. Hay que llegar presentables. Es una demostración de respeto. ¿O no?

Álex, con cada minuto que pasaba, sentía más terror. El sujeto estaba completamente loco. ¿Cómo se razonaba con alguien como Morgan? Su única esperanza era Walsh: debía seguir ganando tiempo.

Walsh vio las luces de un auto que venía por la carretera. De inmediato supo que se trataba de Lamont.

No bien el auto estuvo a su lado, Walsh se acercó para hablar con sus compañeros.

—Me he acercado al edificio —explicó—, pero aquí no hay nadie. Todo está oscuro, cerrado. Este no es el lugar. Y no sé dónde buscar.

—Tiene que serlo —dijo Nichols—. En Moyer's revisamos todo, Devin. No hay forma de que los asesinos se hayan escondido por allí.

—Nichols tiene razón, en el edificio nuevo, incluso, hay cámaras de vigilancia y…

—¿Cómo en el edificio nuevo? —preguntó Devin.

—El matadero funciona en un edificio que se construyó en la parte delantera del terreno —explicó Nichols—. El edificio viejo, que está atrás, permanece cerrado y… ¡Soy un maldito idiota!

—¡Vámonos! —dijo —. ¡Carter está en el edificio viejo! ¡Está en Moyer's!

—¿Quién me atrapó en tu casa, Calvin? —preguntó Álex, intentando seguir ganando tiempo.

—Ese fue John —explicó Morgan, sonriendo, como si hablara de su pequeño niño del que se sentía orgulloso—. John siempre fue mucho más fuerte que yo. Es él quien se ocupa de atrapar, atar y mover a quienes salvaremos. No es fácil llevar a los salvados hasta donde deben ofrecerse al Cielo. Cuando, por ejemplo, depositamos a Michael Long en el lugar que el Salvador me indicó, el trecho fue largo. Y debemos cargarlos para que no se contaminen con nada. Usted es grande, no sé qué haría si no tuviera conmigo a John Stevenson.

Álex cerró los ojos y respiró hondo. No podía permitirse perder el control.

—¿Y qué pasó con Sarah? —preguntó—. Porque tú no estabas para hacer el trabajo cuando Stevenson la atrapó.

—Es verdad, yo había estado antes. La elegí la misma tarde que me apresaron. Por suerte tuve tiempo de avisarle a John. Él la ha tenido aquí desde entonces, esperando que me liberaran para que yo pudiera hacer mi parte del trabajo. Pero usted, Álex, usted ha sido tan buena conmigo que he decidido salvarla primero. Ya tendré tiempo de ocuparme más tarde de la niña.

Walsh, Ortiz y Nichols llegaron bastante rápido a Moyer's. De hecho, cruzaron la ciudad en tiempo récord.

Lamont no fue con ellos, volvió a la estación a coordinar el operativo con Bennet. Alguien tenía que explicarle lo que estaba ocurriendo, y no iban a arriesgarse a explicarlo por teléfono. Ahora que sabían que Sarah Morrison y Álex estaban ahí, no podría negarse a mandar a su gente.

Además, Walsh pensó que no sería buena idea organizar un gran despliegue cuando Álex y Sarah Morrison aún estaban cautivas y a merced de los asesinos.

Lo mejor era actuar con discreción e intentar entrar al edificio en silencio.

Así que, cuando se estaban acercando al matadero, Walsh apagó la sirena y las luces y dejó el auto aparcado a una distancia prudencial para no arriesgarse a ser escuchado por los homicidas.

El edificio nuevo de Moyer's había sido construido unos doscientos metros más cerca de la carretera que el edificio viejo. El lugar era enorme, y las luces del edificio nuevo no alcanzaban a iluminar al viejo, que, oscuro y en ruinas, daba miedo solo de verlo.

A Walsh le sorprendió el tamaño de aquel predio y, al ver la distancia entre los dos edificios, entendió cómo a Nichols y a Lamont no se les había ocurrido revisar allí: visto desde el nuevo Moyer's, la construcción abandonada parecía pertenecer a otra propiedad.

Con una seña, Devin le indicó a Nichols que rodeara el edificio viejo, y mientras él rodeaba el edificio hacia el otro lado, le pidió a Jessica que vigilara la puerta. No quería arriesgarse a que Morgan y Stevenson escaparan.

En ese preciso instante, Walsh escuchó gritar a una mujer.

39

—¡No lo hagas! —gritó Álex apenas Morgan se le acercó sosteniendo el cubo de agua—. Por favor, no quiero morir. No ahora.

—Morirá a esta vida horrible y dura, Alexis —dijo Morgan sentándose junto a ella y acomodándole la toalla sobre los hombros, debajo del cabello, como se estila en los salones de belleza—. Pero tendrá una gran recompensa cuando llegue con el alma pura al encuentro de Nuestro Señor. Se lo prometo. Tenga fe.

Álex no pudo contener el llanto cuando Calvin, casi con cariño, comenzó a lavarle el cabello.

Walsh había logrado colarse en el edificio y, parado junto a una puerta entreabierta, justo al otro lado del salón en donde Álex estaba siendo retenida y acicalada, observaba la escena intentado decidir el mejor curso de acción.

El problema era que su compañera estaba sujeta a la pared por dos sólidos grilletes de metal. Si asesinaba a Morgan, a quien tenía a tiro, podría liberarla, sí. Pero con Morgan muerto —de Stevenson aún no tenían noticias—, era posible que no pudieran encontrar a Sarah Morrison. Y, no debía olvidarlo, la niña era la prioridad.

Entre la vida de una compañera, por más especial que esta fuera, y la vida de una víctima, Walsh siempre elegiría a la víctima. Más aún si se trataba de una niña.

Y eso estaba bien.

Así que Walsh le pidió a Jessica que, mientras él vigilaba a Morgan, ella fuera hacia el otro lado y que tratara de descubrir dónde tenían a la niña.

—Cuídate —susurró él un minuto antes de perderla en la oscuridad del corredor.

Nichols, apostado en la puerta trasera por si a alguno de los homicidas se le ocurría salir por ahí, miraba el camino. Apenas escuchó los gritos, pidió refuerzos por la radio y se quedó atento a que llegaran.

Ni bien viera el resplandor azul de las sirenas en el horizonte saldría a su encuentro.

—Escucha, Calvin —Álex intentaba razonar con el sujeto porque se le había ocurrido una idea para ganar algo más de tiempo—. Yo agradezco lo que haces por mí. Pero creo que, antes de presentarme ante nuestro Salvador, yo debería hacer un examen de conciencia. Ya no soy una niña, ¿sabes? Y mi alma no es tan pura como la de un niño. No puede serlo. ¿Te molestaría dejarme sola un momento? Si vamos a hacer esto, quiero hacerlo bien.

A Morgan no le gustó mucho lo que ella le pedía. Pero como el argumento funcionaba con la lógica interna de su locura, no pudo rebatirlo. Así que, a regañadientes, aceptó.

—Iré a preparar a la niña —dijo mientras se alejaba—. Tal vez sea una buena idea que las dos se ofrezcan juntas.

Walsh vio que Morgan se alejaba por el lado contrario al que él se encontraba. Se quedó inmóvil hasta asegurarse de que el jardinero se había ido, y luego, haciendo un gesto para que Álex guardara silencio, se apresuró a entrar.

Empuñando su arma, Devin corrió hasta quedar junto a su compañera.

Álex lo miraba un tanto confundida porque no podía creer que él realmente estuviera allí, intentando ayudarla.

Devin notó su confusión.

—Soy yo, Álex, tranquila —dijo mientras intentaba soltar a su compañera de los grilletes que la sujetaban—. Todo va a estar bien, pero tenemos que salir de aquí.

—Ve por Sarah, Devin.

—Lo haré, no te preocupes. Jessica la está buscando justo ahora y Nichols está afuera. Estamos esperando a la caballería.

—Será mejor que se apresuren —dijo Álex—. Estos sujetos están dementes. Y son capaces de cualquier cosa. De cualquier cosa.

Afuera, atento a cualquier movimiento extraño, Nichols esperaba ver a las sirenas de la policía y de los paramédicos de un momento a otro.

Se moría por saber lo que ocurría dentro, pero no se atrevía a abandonar su puesto.

Concentrado en observar la carretera, no notó que alguien se acercaba por detrás hasta que sintió el filo del cuchillo sobre su garganta.

Probablemente no haya llegado a saber lo que ocurría, pues apenas un segundo después de percibir el frío del metal, Nichols estaba muerto.

∾

Empuñando un arma que no estaba habituada a utilizar, Jessica avanzaba despacio por los corredores del matadero.

Ella era policía, por supuesto, pero su trabajo era el de analista forense. Tenía entrenamiento, claro. Y sabía disparar. Pero sus instintos para atrapar a criminales empuñando armas estaban un tanto oxidados. Ella los atrapaba, sí. Pero utilizando el microscopio.

Así que, muerta de miedo, revisaba en la oscuridad, una tras otra, infinidad de salas vacías.

¿Dónde demonios estaba la niña? En el matadero el silencio era absoluto. Así que debía tener mucho cuidado de no hacer ningún ruido o delataría su presencia, alertando a Morgan y a Stevenson.

Pero en ese preciso momento, ella escuchó un quejido. Y, casi de inmediato, un golpe. Como si algo pesado hubiera caído al suelo.

Se asomó por una ventana tratando de ver hacia fuera, pero de modo tal que nadie, desde afuera, pudiera verla a ella.

Era una noche clara, de luna llena, así que pudo ver el cuerpo de Nichols desparramado sobre la gravilla del camino mientras una figura grande volvía a entrar en el edificio.

Tuvo que taparse la boca para que no se le escapara un grito. Y obligarse a seguir adelante en lugar de salir corriendo. La ayudó saber que una niña pequeña estaba en manos de esos monstruos. Respiró hondo y decidió que lloraría la muerte de Nichols después. Una vez que Sarah Morrison estuviera a salvo.

De otro modo, la muerte del oficial habría sido en vano.

Morgan acababa de peinar a Sarah Morrison y se disponía a atarla. En ese momento, Stevenson entró al cuarto en donde su socio y la niña se encontraban. Tenía que advertirle a Calvin que la policía había dado con ellos.

—Tuve que matarlo —explicó el sujeto después de haberle contado todo lo ocurrido a Morgan—. Creo que no ha avisado a nadie, pero debemos darnos prisa. Puede que la policía esté por llegar.

—Tienes razón —Morgan asintió un poco nervioso—. Mira, tú termina aquí. Yo me ocupo de la mujer.

—Pero eres tú quien realiza el ritual, Calvin —objetó Stevenson—. Yo no puedo hacerlo.

—Este es un momento especial, John. —Morgan apoyó una mano sobre el hombro de su compañero—. Yo te autorizo y te confiero el poder para hacerlo. Me has visto hacerlo muchas veces. Sé que lo harás bien.

Luego, mientras Morgan abandonaba el cuarto, Stevenson tomó un cuchillo.

Un cuchillo enorme.

Walsh escuchó que alguien se acercaba, por lo que volvió a salir por la misma puerta por la que había entrado.

Cuando Morgan volvió para encargarse de Álex, la encontró sola.

—Espero que hayas podido reflexionar —dijo un tanto compungido—. Porque el tiempo se acabó.

∼

Jessica Ortiz, por la rendija de la puerta, vio cómo Stevenson se acercaba a la niña blandiendo un cuchillo que parecía muy afilado.

También vio los ojos de la niña. Ojos inocentes y aterrados que se cerraron en el mismo instante en que el hombre levantó la mano que daría el golpe mortal.

Pero el golpe nunca llegó.

Jessica, sin pensarlo dos veces, apuntó su pistola y, sin que nadie notara su presencia, le disparó a Stevenson. El disparo fue certero: ingresó en medio de la cabeza del asesino dejando, como señal, apenas un agujero del tamaño de una moneda pequeña.

Luego, corriendo y apenas el cuerpo enorme de John Stevenson golpeó el suelo, se acercó a la niña, que se había quedado muda y la observaba blanca como un papel, y sin explicarle nada, disparó a la cadena del grillete que sujetaba su tobillo a la pared.

Ya no le preocupaba ser cautelosa. El primer disparo seguro había alertado a Morgan. Ahora en lo único que debía concentrarse era en salir de allí.

En ese momento Sarah Morrison se orinó encima. Jessica

notó que el piso alrededor de la niña se mojaba, y que la mancha de orina se extendía mezclándose con restos de sangre vieja que manchaban las baldosas. Por alguna razón, eso la asustó más que ninguna otra cosa. Probablemente la hizo darse cuenta de la tortura a la que estuvo sometida durante sus días de cautiverio. Ella no perdió ni un segundo en tranquilizarla. Era muy importante, de vida o muerte, sacarla de allí antes de que Morgan volviera, cosa que haría en cualquier instante. Así que se agachó y, con esfuerzo, levantó a Sarah Morrison entre sus brazos. La niña pesaba y ella no era una mujer muy fuerte, pero logró levantarla y esconderse junto con ella en un cuarto contiguo antes de que el otro asesino apareciera.

Walsh tenía a Morgan en la mira. Esperaba tener una línea de fuego segura para no poner a Álex en riesgo. Y estaba a punto de tirar cuando se oyeron los otros disparos.

Morgan se volteó en dirección al lugar de donde provino el sonido y salió del cuarto como alma que lleva el diablo.

Devin lo siguió.

¿Qué rayos había ocurrido? ¿Por qué Nichols no había entrado?

Entonces escuchó que Morgan gritaba.

—¡¿Qué te han hecho, John?!! ¡¿Quién demonios te ha hecho esto?!

Walsh se asomó a la puerta y vio a Morgan llorando como un niño, arrodillado junto al cadáver de Stevenson.

Lo lógico sería haberle disparado en ese preciso instante. Pero a Devin le preocupaban Jessica y la niña. Él no sabía dónde estaban, y Morgan podía ser el único que conocía su paradero si es que Jessica no había podido rescatarla.

Si lo asesinaba, Walsh corría el riesgo de no encontrarlas. ¿Y si estaban heridas? No quiso pensar en la posibilidad de que estuvieran muertas.

En ese preciso momento, Jessica, asomada por una rendija de la puerta del cuarto contiguo, le hizo una seña al detective, que, aliviado al verla, entró a la habitación y cerró la puerta tras de sí.

La niña, sentada en el piso, lloraba en silencio absoluto y se chupaba el dedo gordo de la mano. Parecía no ver ni comprender nada de lo que ocurría a su alrededor. Pero estaba ilesa. Al menos eso creía el detective.

—Está en *shock* —dijo Jessica explicando lo evidente—. Pero creo que no está herida.

—Lo sé. —Walsh no dejaba de mirar a la niña—. ¿Dónde está Nichols?

—Muerto —dijo Jessica casi en un susurro para que Sarah no escuchara—. Creo que fue Stevenson.

—Maldición —dijo él y luego, empuñando su arma, abrió la puerta y espió el corredor. No había señales de Morgan. Pero todos continuaban en peligro. Y, encima, Álex seguía atrapada.

Pero la prioridad era salvar a la niña, así que le pidió a Jessica que la cargara y le hizo una seña para que lo siguiera.

Él, con extrema cautela, avanzó por el corredor hasta llegar a una puerta que daba al exterior. La abrió y, haciéndose a un lado, permitió que Jessica y Sarah salieran.

—Aléjense lo más que puedan. Ve hasta la carretera si es necesario. Y pide refuerzos —dijo y amagó a cerrar la puerta. Pero Jessica desde afuera se lo impidió, poniendo un pie en el resquicio para que no la cerrara.

—Ven con nosotras, Devin.

—Álex sigue atrapada. La tiene atada de pies y manos. Debo ir por ella antes de que la mate.

Dicho esto, el detective cerró la puerta y volvió a entrar en el edificio, mientras Jessica, cargando a la niña, se alejó corriendo.

40

DEVIN VOLVIÓ al interior del matadero. Sabía que Álex estaba atada, así que con la única persona que podía encontrarse era con Calvin Morgan. Decidió que, si veía movimiento, dispararía primero y preguntaría después. Porque la vida de Morgan, realmente, no le importaba.

Se acercó al lugar donde su compañera continuaba retenida y espió para cerciorarse de que el jardinero devenido en asesino serial no se encontrara allí.

Su compañera estaba sola, así que, durante un segundo, dudó si debía ocuparse de liberarla o si primero era preferible atrapar a Morgan.

Al final Walsh se decidió: Álex podía esperar. Lo principal, ahora, era atrapar al asesino. Pero no lo buscaría por todo el edificio. No.

Lo esperaría de pie al lado de Álex, y cuando Morgan volviera, él le plantaría batalla o un tiro en la frente.

Ya vería.

Entró al cuarto en donde ella seguía atrapada, y se sorprendió al ver el estado en que se encontraba su compa-

211

ñera. Encorvada, hecha un bollito casi, acurrucada en un rincón mugriento y temblando como una hoja, lo miraba aturdida.

—Sarah está a salvo, Álex —le dijo mientras se arrodillaba a su lado y se quitaba su chaqueta para cubrir a la muchacha y protegerla de un frío que él no sentía, pero evidentemente ella sí.

—Me alegro. —Álex sonrió sin ganas.

—Stevenson está muerto —continuó él—. Ahora solo resta que Morgan se acerque por aquí. Lo atraparé apenas aparezca, no te preocupes. Y luego, tú y yo, iremos a tomarnos una cerveza por ahí. Una grande. ¿Qué opinas? Puede que hasta te invite una hamburguesa.

El detective sabía que todo lo que decía eran estupideces, pero él había notado que Álex estaba atravesando una crisis de pánico. Y era preciso sacarla de ese estado. Temía que ella empezara a gritar, y hasta que Morgan no estuviera esposado y tirado en el suelo con un arma apuntando a su cabeza, no era bueno ponerlo nervioso.

Su compañera intentó sonreír, pero no logró controlar el temblor que sacudía todo su cuerpo. Que, incluso, la hacía castañetear los dientes.

Es que Álex, en el preciso momento en que oyó los disparos, se derrumbó y perdió el control que había sabido mantener hasta entonces.

Morgan la dejó sola en la oscuridad sin darle ninguna explicación. Y hasta que Devin no estuvo a su lado, ella había ignorado todo lo ocurrido.

Que Sarah Morrison estuviera a salvo y Stevenson muerto, mejoraba el panorama. Pero no lo suficiente.

Ella seguía atrapada y Morgan andaba por ahí. Ahora era una pelea uno a uno. Walsh frente a Morgan. Y eso, a Álex, no la tranquilizaba en lo absoluto. Porque Devin estaba entrenado, sí. Pero Morgan estaba loco.

Y con un loco enfrente…

El detective percibió que Álex se encontraba un poco mejor y se puso de pie. No quería distraerse. Morgan llegaría en cualquier momento.

Entonces Carter y Walsh oyeron un ruido. No se sobresaltaron, porque sabían que Morgan entraría de un momento a otro, pero Álex se acercó más a la pared, tratando de esconderse entre las sombras.

Walsh apuntó su arma hacia el lugar de donde provenía el ruido y, lentamente, avanzó hacia ese lugar.

—¡Cuidado, Devin! —gritó Álex—. ¡Detrás de ti!

Pero cuando su compañera gritó, ya era tarde. Porque Walsh no percibió que Morgan había entrado por la otra puerta y, como estaba de espaldas a ella, pues el ruido provino del otro lado, no vio cuando lo emboscó por detrás, que, golpeándolo con una pala, lo hizo caer.

Walsh tenía un buen estado atlético, y tal vez a causa de la oscuridad —o a lo mejor por simple torpeza—, Morgan no le dio de lleno en la cabeza, sino que lo golpeó en el hombro.

Así que Devin cayó, pero logró darse vuelta y quedar frente a Morgan, evitando así que, con un segundo embate de la pala, lo dejara fuera de combate.

Devin extendió las piernas y detuvo un poco la potencia de un nuevo golpe, que, de haberlo alcanzado, seguramente hubiera terminado con su vida. Así que el golpe llegó, sí, pero amortiguado.

Walsh se las arregló para ponerse de pie. Pero no estaba en una buena posición frente a su atacante.

Morgan había soltado la pala y ahora blandía un cuchillo que sacó de su cintura. Devin estaba desarmado.

Al ser golpeado por la pala, el arma se soltó de su mano y,

fuera de su alcance, ya no servía para nada. Así que ahora, para defenderse, solo contaba con su fuerza y agilidad.

Álex, encogida en su rincón, observaba a los dos hombres mientras peleaban.

Estaba aterrada. Si Morgan lastimaba a Walsh, tanto ella como su compañero acabarían muertos. Y ella no podía hacer nada para evitarlo.

Pero Walsh no estaba dispuesto a dejarse matar. No importaba que Morgan estuviera armado y él no: Devin era más fuerte, más ágil, más joven incluso. Y podía vencer a Morgan.

A la distancia empezaron a oírse las sirenas de la policía y, por un segundo, Morgan distrajo su atención de la pelea.

Ese instante le bastó a Walsh para abalanzarse sobre él y encajar un puñetazo poderoso en pleno estómago de Morgan.

Pero el jardinero no pareció acusar el golpe. Se le cortó un poco la respiración, pero no disminuyó su furia.

Devin asestó un segundo golpe en dirección a la nariz de Morgan, que en el último instante giró la cabeza y el puño de Walsh golpeó de lleno en la oreja del asesino.

Morgan estaba desquiciado. Nada parecía afectarle. Nada lo debilitaba.

Álex, desesperada, buscaba ayudar de algún modo, pero atada como estaba, mucho no podía hacer. Empezó a mirar alrededor, intentando encontrar algo con qué darle una mano a su compañero.

Y entonces vio el arma. No había modo en que pudiera alcanzarla para disparar. Pero si se estiraba lo suficiente, podría patearla en dirección a Walsh para que fuera él quien la utilizara.

Aprovechando que los dos hombres estaban enfrascados en la pelea y que, durante unos minutos al menos, no le prestarían atención, se estiró todo lo que pudo arrastrándose sobre el suelo mugriento, cubierto de tierra y sangre seca, hasta que, a gatas, pudo tocar el arma de Walsh con la punta del pie. No tendría muchas oportunidades. Solo una. Si no pateaba el arma con la fuerza suficiente, si la movía apenas un poco, la pistola quedaría fuera de su alcance y ya nada se podría hacer. Además debía asegurarse de que fuera Walsh, y no Morgan, quien la atrapara.

Después todo ocurrió muy rápido.

—¡Devin! —gritó ella en el mismo instante en que, calculando la fuerza, pateó el arma en dirección a su compañero.

Walsh la escuchó y, de inmediato, entendió lo que Álex pretendía, así que dio un salto y se arrojó al piso para alcanzar el arma estirando su mano derecha.

Pero bastó que el detective desviara la vista un segundo para que Morgan se aprovechara de la situación y se abalanzara, cuchillo en mano, sobre él.

Devin disparó y la bala atravesó el pecho del asesino con la misma facilidad con que un cuchillo caliente corta la mantequilla.

Morgan, con cara de sorpresa, se miró el orificio del que apenas salieron unas gotas de sangre, y luego cayó hacia atrás. La cabeza golpeó el suelo haciendo un ruido sordo.

Antes de tocar el piso, ya estaba muerto.

—¡Devin! ¡Devin, por Dios santo! —Álex empezó a gritar —. Devin, mírame. ¡Mírame, por favor! No cierres los ojos. ¡No cierres los malditos ojos! ¿Me oyes?

Pero él, desde el suelo, no entendía por qué su compañera gritaba y gesticulaba. Entonces se tocó el abdomen y sintió que algo caliente lo cubría.

Levantó la mano y la vio roja, y un poco desenfocada. Volvió a mirar a su compañera: la veía como dentro de una nube, envuelta en una luz azul, como las de las sirenas de la policía. Pero no oía lo que decía Álex.

Tampoco oía las sirenas.

Solo un zumbido extraño. Como de abejas.

Sintió un gusto extraño en la boca. Metálico. Reconoció que era el sabor de la sangre.

Volvió a tocarse el abdomen. Entonces descubrió algo duro sobresaliendo de él. ¿Un cuchillo? Por fin se tocó la herida. La sentía latir al mismo ritmo que sentía latir a su corazón.

Lento.

Lento.

Cada vez más lento.

Hasta que se dejó ir.

PARTE III

1

FUERA DEL MATADERO se desarrollaba un desorden controlado. Se había acordonado la zona con cintas amarillas, y dentro del perímetro, como si se tratara de un hormiguero, circulaban policías uniformados, analistas forenses, detectives, paramédicos, fotógrafos y víctimas. Alguien instaló unos reflectores potentes porque aún era de noche, y en el terreno no había luz.

Cuatro ambulancias, apostadas en el estacionamiento, esperaban a que los paramédicos terminaran de preparar a las víctimas para poder ir, de una vez, al Hospital General de Topeka.

Algunos, en realidad, irían a la Morgue Metropolitana directamente.

Sentada en la parte trasera de una ambulancia, y envuelta en una frazada gris que no lograba hacerla entrar en calor, Álex observaba la escena como a través de un cristal sucio. O como si estuviera mirando una película. Veía y entendía todo lo que ocurría a su alrededor, pero como si le sucediera a alguien más.

Veía cuatro patrullas aparcadas un poco más adelante del lugar en donde ella se encontraba. Se preguntó para qué tantas, si, al fin y al cabo, no quedaba nadie a quien arrestar.

Observó que en la ambulancia de enfrente, Sarah Morrison, envuelta en una frazada similar a la suya, no dejaba de chuparse el dedo mientras una mujer alta y rubia —Álex supuso que se trataría de su madre— la abrazaba y besaba su cabeza sin cesar. La niña tenía la mirada fija en algún punto distante.

Ella supo que tampoco se conectaba con lo que ocurría a su alrededor. Y también supo, como sabía tantas cosas, que Sarah Morrison estaba rota. Que Morgan y Stevenson la habían quebrado y que nunca más sería la misma niña de antes.

Después de todo, ella tampoco sería la misma mujer.

Porque uno nunca se recupera realmente de esos golpes. Y menos si ocurren en la infancia.

A Sarah la esperarían años de terapia y contención.

La esperaban años duros. Y Álex sintió pena por ella.

Más allá, casi en la zona de entrada del edificio viejo, ella vio un cuerpo cubierto de pies a cabeza por una bolsa negra. Pero, en ese momento, no supo de quién se trataba. Pensó que podía tratarse de Stevenson porque ella no sabía dónde ni cómo había muerto.

Más adelante, atando cabos, descubriría que se trataba del oficial Nichols, y sufriría por él. Fue uno de los pocos, el único creía, que la había tratado bien desde el primer momento en que puso un pie en la estación de Policía.

Pensó que tal vez, para dedicarse a esa profesión, era preciso ser duro y desconfiado. Que si no lo eras, acababas muerto.

Y fue en ese preciso instante que ella supo, con la claridad con que se saben ciertas cosas, que no tenía madera de policía. Que nunca la tendría.

Fuera del perímetro, un grupo de reporteros y muchos curiosos se habían reunido para observar la escena del crimen. Pero, a diferencia de otras veces, entre ellos sobrevolaba un silencio extraño, profundo. Como si todos estuvieran estupefactos. Como si temieran romper un hechizo o despertar de un sueño agradable y darse cuenta de que la pesadilla continuaba. Y aunque todos sabían que en realidad sí había terminado, nadie se animaba a cantar victoria.

Los canales de televisión y las radios mandaron sus unidades móviles. Los camarógrafos y sonidistas de las diferentes estaciones hacían su trabajo, sí, pero sin llamar la atención. Tratando de no perturbar el silencio que los afectaba a todos.

Entonces Álex oyó un ruido extraño sobre su cabeza. Y al mirar hacia arriba vio que un helicóptero se recortaba contra el cielo. Pero no entendió por qué estaba ahí. ¿Para qué rayos se necesitaría un helicóptero en ese momento?

Alguien le tocó el brazo.

Era Jessica Ortiz, que venía acompañada de Felipe Lamont.

Él había llegado junto con el resto de la policía, justo en el momento en que Morgan había apuñalado a Walsh, y fue él quien le hizo al detective las primeras maniobras de reanimación.

Por eso tenía sus ropas manchadas de sangre. Álex dejó su vista clavada en una mancha oscura que se extendía sobre la manga de la chaqueta de Lamont.

—Van a traer a Devin ahora, Álex —dijo Jessica y apoyó su mano sobre el antebrazo de Carter.

—Quiero verlo antes de que se lo lleven —dijo ella, y se

levantó con cierta dificultad para acercarse al lugar por donde pasaría su compañero.

—No sé si nos dejarán verlo —dijo Jessica—. Pero lo intentaremos.

En ese preciso instante, uno de los helicópteros aterrizó a unos cuantos metros de allí, generando un viento fuerte y haciendo volar una importante cantidad de hierba, esparciendo tierra por todas partes.

Jessica y Felipe, protegiéndose las cabezas y caminando encorvados, acompañaron a Álex, que caminaba como nada ocurriera a su alrededor, hasta una zona cercana al helicóptero, mientras por el sendero dos paramédicos empujaban una camilla.

Álex solo pudo ver a Devin un instante. Pero debajo de la mascarilla de oxígeno que cubría su rostro, logró vislumbrar un retazo de piel grisácea.

Parecía mentira que se tratara del mismo hombre que, treinta minutos antes, le había prometido una cerveza para animarla.

Ella atinó a estirar una mano y apoyarla, apenas un segundo, sobre el pecho de su compañero. Quería cerciorarse de que estuviera vivo. De que, en verdad, respiraba. Pero el contacto fue tan fugaz que no logró sentir nada. Ni con su tacto ni con su empatía.

Y eso, en lugar de tranquilizarla, la angustió más aún.

Hubiera sido mejor no tocarlo y confiar en lo que le decían.

—Está grave, sí. Pero vivo. Si queremos salvarlo tenemos que irnos ya —dijo un paramédico.

Después lo subieron al helicóptero, que se alejó de allí con la misma velocidad con la que había llegado, jugando una carrera contra el tiempo para salvar a Walsh.

—Quiero acompañarlo —pidió Álex dirigiéndose a Jessica

—. Él salvo mi vida, y quiero estar con él. No... No quiero que esté solo.

—No será posible, cariño —Jessica tomó una de las manos frías de Álex entre las suyas—. Nuestro trabajo aquí no ha terminado aún. Y en el hospital no podemos hacer nada por él. Ahora solo es cuestión de dejar que el tiempo pase y haga lo suyo. Y si crees en eso, también podríamos rezar.

2

UN OFICIAL DE POLICÍA, sentado junto a Álex en la parte trasera de una ambulancia, intentaba que ella le relatara todo lo ocurrido. Pero no era fácil. Porque ella, preocupada por Walsh, a cada rato interrumpía su declaración para consultarle a Ortiz si había alguna novedad sobre el estado de salud de su compañero.

—No quiero molestarla con esto, señorita Carter —insistió el oficial, obligando a que Álex se concentrara otra vez en la conversación que mantenía con él—. Necesitamos terminar con esto. Luego usted podrá irse. Pero para cerrar la investigación, Bennet me ha ordenado redactar un informe que explique lo que ocurrió aquí esta noche.

Ella asintió y se dispuso a contestar todas las preguntas.

—¿Qué ocurrió después de que Morgan se abalanzara sobre Walsh?

—La culpa fue mía —explicó ella muy angustiada—. No sé si fue porque estaba loco, o porque era excepcionalmente fuerte, pero Morgan parecía no acusar los golpes de Walsh. Nada lo detenía ni lo debilitaba. Y yo me asusté.

—Es lógico que se asustara, no entiendo por qué se culpa.

—Creí que Morgan iba a golpear duro a Devin, que iba a dejarlo inconsciente o algo peor. Como yo estaba atada, no podía ayudarlo en nada. Pero si Morgan dejaba a Walsh fuera de juego, moriríamos los dos. Entonces fue que vi su arma tirada cerca de mí. Hice un esfuerzo para alcanzarla y, con una patada, se la acerqué. Le grité a Devin para que la viera. Pero todo fue un maldito error.

A Álex se le quebró la voz y volvió a mirar hacia donde estaba Jessica. La analista entendió la pregunta silenciosa de ella y negó.

No había novedades aún.

—Continúe, por favor —pidió el oficial con amabilidad, pero con firmeza—. ¿Por qué dice usted que fue un error?

—Porque mi grito, mi aviso; lo distrajo.

—Pero Walsh logró alcanzar el arma, ¿no es verdad?

—Sí, pero esa distracción le dio a Morgan el tiempo suficiente para abalanzarse sobre él y apuñalarlo en el estómago.

—Pero Walsh alcanzó a dispararle a Morgan. ¿O no?

—Sí, pero creo que todo sucedió al mismo tiempo. Walsh agarró el arma. Morgan se abalanzó sobre él, y él disparó cuando Morgan lo apuñalaba. Si me pide que le diga qué sucedió antes de qué, lo siento, pero no puedo decírselo, porque no lo sé.

El oficial asintió y, con un gesto, la invitó a continuar.

—En ese momento vi las luces de las patrullas y de las ambulancias. Morgan cayó muerto mientras yo le gritaba como una loca a Devin para que no cerrara los ojos, para que luchara. No sé cuánto tiempo pasó hasta que vi entrar a Lamont. Tampoco sé lo que le dije, solo sé que corrió hasta donde Devin había caído y se desangraba, y que se ocupó de él. Solo recuerdo que la gente corría, gritos, y la chaqueta de Lamont manchada de sangre. Supongo que alguien debe haberme liberado de los grilletes, pero no sé quién fue.

—Fui yo —dijo el oficial—. No me extraña que no me recuerde. Tuve que sostenerla para poder cortar los grilletes. Usted gritaba sin parar mirando a Walsh, y apenas la solté salió disparada hacia él, como intentando asistirlo. Tuve que luchar con usted para apartarla de allí y permitir que los paramédicos pudieran acercarse y hacer su trabajo.

—Lo siento. —Álex sonaba avergonzada—. Fue muy duro ver cómo lo apuñalaban después de todo lo que ocurrió. Haber llegado hasta aquí y que las cosas terminaran así de mal en el último instante... Él salvó mi vida y, sencillamente, no soporto la idea de que él muera justo ahora. Cuando, por fin, parece que todo ha terminado.

3

En el hospital la espera era tensa. Hacía varias horas que el detective había entrado al quirófano, pero aún nadie salía a informar el estado de salud del detective.

Como él no tenía familia en la ciudad, eran solo sus amigos del Departamento de Policía los que esperaban noticias.

—¿Pero qué demonios están haciendo? —preguntó Felipe, que, aún con la ropa manchada, esperaba sentado en el corredor—. ¿Cuánto más nos harán esperar aquí?

Y sí. La verdad es que habían esperado bastante. Tanto que el sol ya estaba alto. Walsh llevaba más de doce horas en el quirófano.

—El cuchillo debe haber causado mucho daño —dijo Jessica, que, sentada junto a Lamont, bebía un té en un vaso de papel. Era el segundo que bebía desde que llegaron al hospital, pero no conseguía entrar en calor.

Ella también había tenido una noche difícil.

Nunca en la vida olvidaría el momento en que Devin cerró la puerta del matadero y la obligó a escapar con Sarah a cuestas.

Sin mirar atrás ni una vez, Jessica había atravesado el predio de Moyer's cargando a Sarah. La niña pesaba, pero la adrenalina que su cuerpo había secretado al matar a Stevenson le dio una fuerza, una resistencia, de la que ella no se hubiera sentido capaz en ningún otro momento.

Además, el estado de vulnerabilidad en el que se encontraba la niña la había conmovido profundamente, despertando en ella la necesidad de protegerla. De alejarla de toda aquella locura.

Creyó que su carrera en medio de la noche había durado una eternidad, pero, al llegar junto a la carretera, dejó a la niña en el suelo y buscó su móvil para pedir refuerzos. Grande fue su sorpresa cuando, al mirar la hora, descubrió que, desde que llegó al matadero con Walsh y Nichols, no habían pasado más de cuarenta y cinco minutos.

Al comunicarse con Felipe, su alivio fue grande. Él le informó que estaban a cinco minutos.

Pero hasta que Jessica no vio las luces azules acercándose a toda velocidad, no respiró tranquila.

Y ahora estaba ahí, intentando reponerse y entrar en calor mientras esperaba que el hombre que la había salvado a ella también saliera con vida del quirófano.

—Seguro que causó mucho daño —dijo Álex apoyando lo que había dicho Jessica—. Era enorme y estaba muy, muy afilado.

Álex no podía borrar de su mente la imagen del cuchillo que, durante toda la pelea con Devin, el asesino había sostenido en la mano.

Entonces se abrió la puerta del quirófano y un médico vestido de verde se acercó para hablar con ellos, mientras se quitaba el gorro y la mascarilla

—Superó la operación —dijo—. Lo que ya es un paso enorme, teniendo en cuenta el estado en que llegó.

Álex y sus compañeros escuchaban nerviosos, pero no se atrevían a hablar.

—El cuchillo dañó el bazo, el estómago y el intestino. El estómago y el intestino pudimos repararlos. El bazo, lamentablemente, no. Hubo que extraerlo.

—¿Se recuperará? —preguntó Felipe haciéndose el rudo, pero bastante asustado.

—Sí, se puede vivir sin bazo una vida normal. Los órganos del detective Walsh deberían sanar pronto. De lo que debemos cuidarnos ahora mismo es de una infección. Por eso les pido que no lo visiten esta noche. Dependiendo de su evolución, podrán verlo mañana. Está grave, sí. Pero es un hombre saludable y fuerte. Tiene mucho a favor, y yo creo que se recuperará pronto.

Jessica tomó a Álex de la mano y se la apretó. Ambas mujeres se sintieron reconfortadas por las palabras del médico, que después de explicar algunas cuestiones menores se alejó por el corredor.

Álex y Jessica sonrieron. Lamont aspiró, se revolvió el cabello y soltó, despacio, el aire.

—Creo que necesito una ducha —dijo Felipe, que por primera vez pareció notar la sangre que manchaba su ropa y que ahora estaba seca.

—Y ropa limpia —dijo Jessica—. Te recomendaría que tires toda la ropa que tienes puesta, eso ya no tiene solución.

Lamont sonrió y asintió.

—Yo también necesito una ducha —dijo Álex—. Y luego

una larga siesta. Una que me ayude a olvidar este maldito caso.

Felipe volvió a asentir. Pero no dijo nada. Él sabía que este maldito caso no se olvidaría, no con una siesta ni con dos. Este caso era una de esas cosas que no se olvidaban nunca.

—¿Alguien ha sabido algo de Bennet? —preguntó Jessica cuando los tres caminaban en dirección a la salida—. Porque no lo he visto ni en la escena del crimen ni por aquí.

—No ha venido —explicó Felipe—. Cuando volví a la estación, antes de que ustedes fueran a Moyer's, lo encontré y le expliqué todo lo ocurrido. El muy cabrón se puso blanco como un papel porque supo que la había cagado. Organizó el operativo, pero me informó que no se presentaría ante los medios.

—¡Cobarde! —dijo Álex—. No apareció porque temió que Devin o yo lo avergonzáramos frente a los medios.

—Como si en el estado en que quedó Walsh pudiera avergonzar a alguien —dijo Jessica—. Aunque el jefe se merecería que lo avergüencen, la verdad.

—Ni siquiera tuvo la delicadeza de presentarse aquí para ver cómo está su detective estrella, que casi muere, en gran parte, por su estupidez.

—No, no es por eso por lo que no ha venido —dijo Lamont—. Bennet pasó gran parte de la noche intentando contactar a la familia de Nichols. El jefe quería darles personalmente la noticia de su muerte.

—Bien, eso es lo correcto. Está bien —dijo Jessica, a quien la muerte de Nichols la afectaba especialmente.

—Sí, eso está bien —dijo Álex, que a pesar de entender los motivos de Bennet para no estar en el hospital, no lograba perdonarlo por todo lo ocurrido. A fin de cuentas, también por culpa de Bennet ella había estado en serios problemas—.

Entiendo que no haya venido, pero lo hará de un momento a otro, y no quiero verlo. Prefería irme ya, si no les molesta.

Jessica y Felipe asintieron y entonces, los tres juntos, abandonaron el hospital.

4

ÉL SE LEVANTA DEL SUELO.

La jaula aún huele a sangre y a suciedad. Pero ahora, iluminada por el sol, parece más grande, aunque no lo es.

Lo que ocurre, en realidad, es que está vacía.

El león se ha ido y no volverá.

Él mira alrededor y reconoce el lugar donde han emplazado a la jaula, que, en ese instante, comienza a girar al son de una música alegre e infantil.

Con cada vuelta, un barrote desaparece. Y de pronto, él ya no está en una jaula. Está en un carrusel.

Un carrusel luminoso como un faro, que llama a los niños para que vuelvan.

Un montón de niñas y niños que disfrutan en el parque, que se extiende infinito a su alrededor, se acercan riendo, corriendo y saltando sin miedo alguno. Libres ahora que ninguna bestia feroz los acecha desde la sombra.

Una niña que se chupa el dedo sale de entre los árboles. Y entonces, detrás de ella, aparece una mujer que, entre sus manos, sostiene un látigo.

La mujer se acerca.

Se acerca y sonríe.

Y él también sonríe al reconocerla. Es Alexis, pero a la vez no. Porque Álex es una psicóloga. Y esta otra, sin ninguna duda, es quien doma a los leones.

La pesadilla terminó.

Y él debe despertar.

5

AL DÍA siguiente de que Sarah Morrison hubiera sido rescatada, y de la muerte de Morgan y de Stevenson, Todd Bennet, usando sus mejores galas y su sonrisa más impostada, se había parado frente a las cámaras y micrófonos de todas las estaciones de radio y televisión de Topeka para brindar una conferencia de prensa.

Ninguno de los miembros del equipo que investigó y resolvió el caso de los Homicidas de Niños, como lo llamaban ahora los medios, había participado en la conferencia.

No porque no se los hubieran pedido. No.

Se los habían pedido fuerte y claro, pero ninguno de ellos quiso aparecer en público.

Es que cada uno deseaba que todo el mérito se lo llevara el jefe, pues creían que ese era el único modo de deshacerse de él.

Además, ninguno estaba dispuesto a colaborar con la única persona del departamento que, desde el principio, se había ocupado de obstaculizar cada uno de los pasos que fueron necesarios dar para atrapar a los asesinos.

Después de todo lo ocurrido, a los miembros del departamento les había quedado una cosa clara: Todd Bennet era un burócrata, no un policía, y como tal, era mejor que fuera alcalde antes que jefe del Departamento de Policía de Topeka. En el cuerpo había miembros mucho más capaces que Bennet para ocupar su cargo, pero para que cualquiera de ellos lograra convertirse en jefe era menester que el actual abandonara su puesto. Y eso solo ocurriría si Bennet era elegido alcalde.

Así que, cuando el jefe se dirigió a la prensa, fue él quien se llevó todos los elogios. Y eso estuvo muy bien. No fue justo, probablemente, pero era lo que todos querían.

—Después de una ardua investigación —dijo el jefe usando una voz grave que, era evidente, había ensayado especialmente para la ocasión—, por fin hemos resuelto el caso. Afortunadamente, la última víctima de Morgan y Stevenson fue rescatada con vida gracias a los esfuerzos denodados de este cuerpo de Policía.

—Jefe Bennet —preguntó un reportero—. ¿Qué hay de cierto de las versiones que afirman que los homicidas resultaron muertos?

—Son ciertas, ambos homicidas han sido abatidos por oficiales de este departamento.

—¿Cómo se encuentra Sarah Morrison? —preguntó algún reportero ubicado en el fondo de la sala, a quien Bennet no alcanzaba a ver.

—Dentro de lo que ha ocurrido —dijo Bennet—, la niña está bien. Físicamente no ha sido lastimada, pero sí presenta algunas consecuencias psicológicas, derivadas del cautiverio. Es pronto para saber las consecuencias a largo plazo, pero creemos que estará bien.

—¿Es verdad que ha muerto un oficial y que un detective ha resultado gravemente herido? —preguntó una reportera.

—Lamento decirles que es verdad —dijo Bennet con un gesto de tristeza bien ensayado—. El oficial Nichols ha muerto en el cumplimiento del deber y es una gran pérdida para el Departamento de Policía de Topeka. Desde aquí, aunque ya lo hemos hecho personalmente, enviamos nuestras condolencias a su familia. El detective Walsh, por otra parte, ha resultado herido, pero gracias a Dios y a los esfuerzos de los médicos se está recuperando.

—¿Usted confirma entonces que la pesadilla ha terminado?

—Lo confirmo —dijo Bennet, sabiendo que con esa frase se aseguraba una prominente carrera política—. El caso de los Homicidas de Niños está cerrado.

6

ALEXIS CARTER TOCÓ SUAVEMENTE la puerta de la habitación en donde Devin Walsh se recuperaba.

Habían pasado tres días desde la funesta noche en que su compañero resultó malherido por Calvin Morgan.

Después de que Álex abandonara el hospital con Lamont y con Ortiz no se había atrevido a presentarse frente a Walsh, porque se sentía tremendamente culpable de su estado.

No importaba que los demás le dijeran que no había sido su culpa, ella estaba convencida de que si no lo hubiera distraído con el asunto del arma, Walsh no habría resultado herido.

—Tienes razón —le dijo Jessica la noche anterior mientras tomaban una cerveza juntas en un bar de la ciudad—. Si no le hubieras alcanzado el arma, no hubiera resultado herido, porque estaría muerto. Déjate de tonterías, Carter, y ve a verlo.

—¿Cómo está él? —había preguntado Álex.

—Si quieres saber cómo está, mueve el culo de la silla y acércate a verlo al hospital.

Y así había sido.

Así que ahora, después de tocar, Álex esperaba que Walsh la invitara a entrar.

Como nadie contestó, ella, tímidamente, abrió la puerta y se asomó.

Rodeado de una exagerada cantidad de flores y globos con la leyenda «Recupérate pronto», Devin Walsh dormía tranquilamente.

Álex dudó un segundo entre entrar y esperar a que su compañero despertara, o volver en otro momento.

Pero eligió quedarse. Si se iba, tal vez no volvería a reunir el valor necesario para regresar.

Así que muy despacio, en silencio para que Walsh no despertara, Álex entró al cuarto y se acomodó en un sillón que había junto a la cama a esperar que su compañero despertara.

Lo observó mientras dormía y le alegró notar que su piel ya no tenía el color grisáceo que tanto la había asustado aquella noche, minutos antes de que lo subieran al helicóptero.

Luego, Álex buscó un libro en su bolso y se dispuso a leer mientras Devin continuaba durmiendo.

—¿Te has dignado a venir a verme, Carter?

Álex bajó el libro que estaba leyendo y lo apoyó sobre sus rodillas. Sintió cierto alivio al ver que Walsh la miraba con una sonrisa.

—Es que no pude venir antes —mintió ella—. Estos días han sido una locura. Ya sabes.

—No es necesario que mientas. —Devin ensanchó su sonrisa—. Felipe me ha dicho que no querías venir porque te sentías culpable por lo que pasó.

—Me siento culpable.

—Si no me hubieras alcanzado el arma no…

—No es por eso por lo que me siento culpable. —A Álex

se le llenaron los ojos de lágrimas—. Al menos no solo por eso.

Me siento culpable por haber ido sola y sin consultarte a casa de Morgan, me siento culpable por no haberte escuchado cuando me dijiste que el maldito jardinero ocultaba algo, que no te convencía su declaración. Me siento culpable por haber insistido tanto, cuando eres tú quien tiene experiencia y yo no.

—¿Por haber nacido también te culpas? —dijo Walsh y soltó una carcajada—. ¡Déjate de tonterías, Álex! Tú no eres más culpable de lo que pasó que yo. En este trabajo las cosas son así. Y el único culpable de estas vacaciones obligadas es el maldito Calvin Morgan, que, gracias a ti y a mí, ahora debe torturar almas en el infierno.

—Veo que además de las tripas —dijo Álex sonriendo—, conservas el sentido del humor, detective.

—Ni que lo digas —dijo él y se incorporó un poco en la cama—. Ya también conservo la memoria. Y si mi memoria no me falla, tú y yo tenemos una conversación pendiente. ¿Recuerdas?

Ella asintió, pero no dijo nada.

—Ven —pidió él—. Ayúdame.

Álex se acercó y sostuvo las almohadas de Devin mientras él se acomodaba. A causa de la operación todavía le costaba girar, y como tenía uno de los brazos medio inmovilizado por la vía que tenía conectada, la cosa se complicaba más aún.

Una vez que Walsh estuvo acomodado, quedó en una posición mejor para conversar.

—Siéntate aquí —pidió él y dio dos golpecitos sobre el colchón, a su lado.

Álex se acercó e hizo lo que él le pedía.

—Tú, señorita cabeza dura, no eres culpable de nada. Y si no fuera porque me alcanzaste el arma, los dos estaríamos muertos. Y Sarah Morrison también. Así que déjate de tonterías. ¿Quieres?

—¿Sigues con la idea de largarte de la ciudad? —preguntó sentada junto a Walsh e intentando cambiar de tema. Al fin y al cabo, ella era quien fue a ver a su compañero, pero desde que había llegado, Walsh no hacía otra cosa que reconfortarla.

—Creo que no.

—¿Por qué no?

—Me ha llamado Felipe —dijo Devin—. Con el asunto de que Bennet se va a postular para alcalde, es posible, probable diría yo, que el puesto de jefe de Policía quede vacante. Bien, Felipe me ha dicho que mi nombre suena mucho para ocupar el puesto.

—Sí, así es. —Álex había escuchado lo mismo. Pero que ese fuera el motivo por el que Walsh quisiera quedarse en la ciudad la entristecía un poco—. Creo que serías un estupendo jefe de Policía.

—Creo que podría funcionar, sí —dijo Walsh y se encogió de hombros—. Tengo la edad y la experiencia necesarias para hacerlo. Así que…

—Deberías intentarlo —dijo Álex—. Mi abuela siempre decía que cuando uno no se…

—Detente.

—¡No estoy divagando! —dijo Álex algo indignada.

—Sí. Divagas. —Walsh sonrió—. Pero no es por eso por lo que te detengo. De algún extraño y retorcido modo, he llegado a disfrutar esos monólogos intrascendentes que recitas cuando estás nerviosa.

Álex sonrió.

—Yo no continuaré en el cuerpo de Policía, ¿sabes? Ya le he presentado mi renuncia a Bennet. Me largo al terminar la semana. Entregaré los informes que he redactado sobre los perfiles de Stevenson y Morgan y habré terminado.

—Es una pena que te vayas —dijo Walsh. Y lo dijo muy en serio—. Tus métodos son raros, Carter. Y la mayoría de las veces me exasperan. Pero funcionan. Pocas veces en mi vida me he topado con alguien tan observadora como tú.

—O sea que me vas a extrañar. —Ella soltó una carcajada —. Dilo, cobarde. Vas a extrañar mi empatía.

—Claro que te voy a extrañar —dijo Walsh cambiando la expresión de su rostro—. Y eso, justamente, me lleva al segundo motivo por el que no me iré de Topeka.

—¿Y cuál sería ese motivo, si se puede saber? —Álex también había cambiado la expresión de su rostro.

—Para ser empática, eres bastante inmune a mis intentos de cortejarte, Álex. Tú eres el otro motivo. ¿No te has dado cuenta aún?

—Lo suponía —dijo ella sonriendo —. Pero no quería quedar como una tonta. Siempre he sido igual, desde niña. Algunas veces los niños de mi escuela...

—Detente —dijo Devin. Y luego, apoyando su mano en la nuca de su compañera, se acercó a ella y la besó.

7

CUANDO SONÓ EL DESPERTADOR, Álex ya se había levantado y se estaba duchando.

Desde que, varias semanas atrás, había renunciado a su puesto en la Policía de Topeka disfrutaba de su nuevo ritual matutino: levantarse muy temprano, cerca de las seis, hacer una hora de bicicleta fija o algo de yoga, o a veces —si el sol acompañaba— salir a correr.

Después encendía la cafetera, se metía en el baño y se duchaba tranquila, por mucho tiempo y con el agua bien caliente.

Cada día, antes de entrar a la ducha, ella tenía la precaución de encender la cafetera, así, cuando terminara con su baño, el café siempre estaba a punto.

Cada mañana, mientras disfrutaba de su desayuno, leía el periódico con mucha tranquilidad, pero salteaba la sección de policiales.

De crímenes y misterios, ya había tenido más que suficiente.

Luego, sin apuro, salía de su apartamento y caminaba las pocas calles que la separaban de su consultorio.

Vivía aquellas caminatas como si fueran paseos, disfrutando de las cosas que veía, de la gente a la que se cruzaba, del sol o de la lluvia por igual.

La experiencia que sufrió con su secuestro había hecho mella en ella. Le demostró que nadie tenía la vida comprada. Que en cualquier momento podían tocarle malas cartas, que la mano podía ser la última, y que podía perder la partida incluso cuando en la última jugada todo parecía estar a favor. Y encima, todo aquello ocurriría sin avisar.

No es que ella se hubiera propuesto «Vivir la vida», como habitualmente aconsejan las frases hechas. No. Sencillamente, algo había cambiado en Alexis Carter y era eso lo que la llevaba a tomarse cada día como un regalo, y a vivirlo como tal.

Antes de llegar a su consultorio, ella paraba en una tienda de flores que había enfrente y compraba un ramo fresco y colorido: rosas, jazmines, margaritas. Cada día uno diferente.

Luego entraba a su consultorio, acomodaba las flores y esperaba con alegría a sus pacientes.

Incluso a la señora Madox, que cuando se enteró de que ella había vuelto, enseguida la llamó para concertar una cita.

Aquella mañana, justamente, tendría su primera sesión después de mucho tiempo.

La señora Madox, recostada en el diván, parloteaba sin cesar sobre sus desgracias domésticas: un marido que la ignoraba, unos hijos que la ignoraban, una mucama que la ignoraba. En fin, un mundo que la ignoraba.

La señora Madox era la misma que la última vez que Álex

la atendió. Sus palabras eran las mismas que la última vez. Sus problemas eran los mismos que la última vez.

Pero ella no era la misma. Después de todo lo que había ocurrido, no podía serlo. De ningún modo.

Así que esta vez, en lugar de escuchar a su paciente a medias y aburrida como lo hizo antes, estaba muy interesada en los viejos y conocidos problemas de la señora Madox, y se sentía feliz de poder ayudarla con sus pequeñas y cotidianas crisis domésticas, iguales a las de casi todos los demás.

Alexis Carter había hecho trabajo de campo. Había trabajado con la Policía de Topeka, perfilado criminales y ayudado a resolver el caso más importante ocurrido en la ciudad.

Y todo eso estuvo bien.

Pero no había sido para ella.

Álex se había enfrentado a los leones, jugado su juego, creído que los engañaba y conocido su ferocidad.

Y si bien en algún momento lo había disfrutado, descubrió que aquello no era lo que ella quería.

Con su particular don, con su empatía, ella había padecido el dolor, el miedo y la angustia de las víctimas y de sus familiares como si fueran propios.

Había sufrido la preocupación y la impotencia de sus compañeros con una intensidad perturbadora.

Pero también, y esto fue lo peor, había sentido el placer de matar y la locura de lo que hicieron los homicidas.

Y nunca, jamás, quería volver a sentir aquello ni volver a verse involucrada en nada parecido.

A final, Alexis Carter había domado a los leones, sí. Pero el precio había sido muy alto.

Muy alto.

Así que, completamente consciente de la decisión que tomaba, dejó todo atrás sin remordimientos ni cuentas pendientes, y vuelto a su consultorio, en donde ahora se sentía útil.

Después de todo lo ocurrido, ella estaba feliz de tener una línea de trabajo mucho más segura.

Había ganado experiencia y buenos amigos. Y había descubierto que hacer lo que hacía estaba bien.

Además, ahora lo tenía a Devin. Y él sería el encargado de poner en su vida toda la acción que hiciera falta.

FIN

Si disfrutaste leyendo *Miedo en los ojos*, estoy seguro que te encantará la primera novela de la serie de Anne y Alexis: *Miedo en mis manos*. Obtenla aquí: https://geni.us/MiedoEnMisManos

NOTAS DEL AUTOR

Espero hayas disfrutado la lectura de esta novela.

Si te gustó mi obra, por favor déjame una opinión en Amazon. Las críticas amables son buenas para los autores y los lectores... y un estudio reciente (realizado por mi persona) también indica que escribir una opinión positiva es bueno para el alma ;)

¿Sabías que ahora también puedes disfrutar de mis historias en audiolibros? Te invito a gozar de esta experiencia con mi relato *Los desaparecidos*. Escúchalo **gratis** aquí: https://soundcloud.com/raulgarbantes/losdesaparecidos

Puedes encontrar todas mis novelas en mi página web: www.raulgarbantes.com

Finalmente, si deseas contactarte conmigo puedes escribirme directamente a raul@raulgarbantes.com.

Mis mejores deseos,
Raúl Garbantes

amazon.com/author/raulgarbantes

goodreads.com/raulgarbantes

instagram.com/raulgarbantes

facebook.com/autorraulgarbantes

twitter.com/rgarbantes

Made in United States
Orlando, FL
09 March 2024

44582228R00152